La communication interpersonnelle

et organisationnelle : l'effet Palo Alto

D1509011

Pierre Dionne
Gilles Ouellet

La communication interpersonnelle

et organisationnelle : l'effet Palo Alto

gaëtan morin
éditeur

LES ÉDITIONS
D'ORGANISATION

La communication interpersonnelle et organisationnelle : l'effet Palo Alto

Pierre Dionne et Gilles Ouellet

© gaëtan morin éditeur ltée, 1990

Révision linguistique : Jean-Pierre Leroux

Tableau de la couverture :
La fuite
Œuvre de **Renée Durocher**

Née à Granby en 1939, Renée Durocher détient un certificat en arts plastiques de l'École des Beaux-Arts de Montréal ainsi qu'un baccalauréat en arts plastiques de l'Université du Québec à Montréal. Elle a aussi étudié le dessin de mode à l'École des Arts et Métiers commerciaux de la même ville.

De 1976 à 1981, elle expose une dizaine de fois dans différentes galeries du Québec, en solo. Par la suite, on retrouve ses toiles chez Bigué et Osler de Toronto (1983), à la Galerie l'Autre Équivoque d'Ottawa (1983 à 1986), à la Galerie Michel Bigué de Montréal (1983), au Centre culturel d'Anjou (1985), à la Galerie L'Heureux de Trois-Rivières (1986), à la Galerie Minigal de Montréal (1987 et 1988) et à la Galerie Michel-Ange de Montréal (1990). Elle a aussi participé à sept expositions de groupe au Québec, à Toronto et à New York. De plus, elle a participé à l'exposition *Les Femmes peintres au Québec,* au Musée Marc-Aurèle-Fortin, de juin à septembre 1989.

Ces dernières années, elle enseigne aux Peintres Associés de Granby. Elle anime également deux ateliers dans cette ville.

gaëtan morin éditeur

CHENELIÈRE ÉDUCATION

7001, boul. Saint-Laurent
Montréal (Québec)
Canada H2S 3E3
Téléphone : (514) 273-1066
Télécopieur : (514) 276-0324
info@cheneliere-education.ca

ISBN 2-89105-334-6

Dépôt légal : 3ᵉ trimestre 1990
Bibliothèque nationale du Québec
Bibliothèque nationale du Canada

Imprimé au Canada

14 15 16 17 ITM 10 09 08 07

Nous reconnaissons l'aide financière du gouvernement du Canada par l'entremise du Programme d'aide au développement de l'industrie de l'édition (PADIÉ) pour nos activités d'édition.

L'Éditeur a fait tout ce qui était en son pouvoir pour retrouver les copyrights. On peut lui signaler tout renseignement menant à la correction d'erreurs ou d'omissions.

DANGER

LE PHOTOCOPILLAGE TUE LE LIVRE

Table des matières

Chapitre 2
L'être humain dans la communication (condamné à communiquer pour la vie éternelle, la guerre des réalités)

Introduction

Ce livre se veut d'abord une réflexion sur la communication interpersonnelle. Depuis la métaphore du télégraphe jusqu'à celle de l'orchestre, qui font passer l'être humain de l'état de simple machine à celui d'être pensant en quête de son identité et engagé dans la recherche d'une réalité sans cesse en mouvement, le voyage est parsemé d'éléments insolites. On voit surgir à tout moment des mythes et des croyances qui concourent à emprisonner l'esprit qu'ils seraient censés apaiser, qui privent l'individu des effets bénéfiques de ses éclairs de conscience. Chacun le sait en son for intérieur, la réalité sociale n'est pas si stable qu'on le prétend. Mais pourquoi ce besoin d'une vérité définitive si ce n'est parce qu'elle contribue à confirmer sa propre existence et le bien-fondé d'un sens accordé au monde et que tout bien considéré on préfère parfois un mensonge clair à une vérité incertaine ? Telles sont les questions qui sous-tendront la présentation des textes dans cet ouvrage.

À partir de certaines propositions avancées par Paul Watzlawick à propos de l'existence d'une axiomatique de la communication, ce livre met en relief par une série de métaphores une vision de l'être humain. Il y est affirmé, entre autres, que tout individu porte un univers peuplé de mythes dont dépendent à ses yeux son identité et la pertinence de sa version du monde. Et comme c'est là le lot de tous, le choc de ces multiples réalités conduit à des interactions d'où émergent des vérités douteuses, dont certaines jouissent encore aujourd'hui d'une forte reconnaissance et dont on paie le prix au bout de la ligne.

Cette guerre de vérités, car il s'agit d'affrontements interpersonnels entre individus à la recherche d'une confirmation d'eux-mêmes, s'accompagne d'effets secondaires peu reluisants, dont celui qui consiste à tenir pour immuables des versions du monde qui nous oppriment. À ce titre, les pages qui suivent sont donc une invitation à s'affranchir et l'on y découvrira que si l'incertitude peut être une obsession, elle est également source de liberté. Il n'y a pas de prison plus sûre que celle dont on est le geôlier car seuls les autres n'y sont que de passage...

Pourquoi se lancer dans une telle aventure alors qu'il serait bien plus simple d'emprunter la voie tracée par beaucoup d'autres et qui consisterait à développer des applications intéressantes de ces nouvelles théories de la communication provenant de Palo Alto, en se contentant de récolter par la suite le fruit de la popularité de ses créanciers? Tout simplement parce que, de l'aveu même de ces auteurs aujourd'hui célèbres, les Bateson, Watzlawick, Goffman, Hall et autres, il reste beaucoup à découvrir. Dans la présentation de l'un de ses ouvrages, Yves Winkin, qui fut l'un des premiers à tenter d'intégrer les résultats de recherche de ces sommités en apparence éloignées les unes des autres, déclarait ceci à propos d'un consensus qui se dégagerait lentement sur ce que doit être et ne doit pas être la recherche sur la communication dans l'interaction.

> *Ce consensus se fonde sur une opposition à l'utilisation en sciences humaines du modèle de la communication de Shannon. Selon ces chercheurs, la théorie de Shannon a été conçue par et pour des ingénieurs des télécommunications et il faut la leur laisser. La communication doit être étudiée dans les sciences humaines selon un modèle qui leur soit propre. Ils estiment que l'utilisation du modèle de Shannon en linguistique, en anthropologie ou en psychologie a entraîné la résurgence des présuppositions classiques de la psychologie philosophique sur la nature de l'homme et de la communication. Selon eux, la conception de la communication entre deux individus comme transmission d'un message successivement codé puis décodé ranime une tradition philosophique où l'homme est conçu comme un esprit engagé dans un corps, émettant des pensées sous forme de chapelets de mots. Ces paroles sortent par un orifice ad hoc et sont recueillies par des entonnoirs également ad hoc, qui les envoient à l'esprit de l'interlocuteur. Celui-ci les dépouille et en saisit le sens. Dans cette tradition, la communication entre deux individus est donc un acte verbal, conscient et volontaire[1].*

Nous partageons cette réticence face à l'importation du modèle de Shannon en sciences humaines. Pour cette raison, ce volume se résume à un effort visant à repousser les limites actuelles des connaissances dans un domaine où la communication humaine commence tout juste à être étudiée convenablement, les relations interpersonnelles au sens large. Aussi bien dire, alors, que notre champ d'observation embrasse l'ensemble des activités humaines, de la famille à l'organisation, pour atteindre finalement les rapports interculturels! Certes, il serait fort audacieux de prétendre couvrir un

---

1. Winkin, Y., *La Nouvelle Communication*, Paris, Seuil, 1981, p. 22.

aussi vaste territoire. Nous restreignons l'investigation sur la base de certains aspects qui nous préoccupent davantage que d'autres. Cette décision expliquera en grande partie l'utilisation d'une approche métaphorique et la répartition des idées mises en avant dans des chapitres aux titres à première vue bizarres pour les profanes. Qu'à cela ne tienne, notre intention est de proposer par des images une remise en question de certaines croyances entretenues à propos de la communication pour en arriver à énoncer de quelle façon les interactions quotidiennes laissent la place au libre arbitre. Pour cela, il faut cependant offrir en contrepartie une vision de la communication interpersonnelle qui s'appuie sur un ensemble d'énoncés stratégiques dont la fonction est de mettre en évidence la marge de manœuvre dont chacun dispose en dépit des apparences.

Le premier chapitre lance le débat en s'attaquant à des croyances encore trop répandues à propos de l'interaction humaine. On y conteste les individus qui nous condamnent à la solitude éternelle, niant ainsi la possibilité de vraiment communiquer avec les autres, comme si on pouvait choisir de se soustraire au phénomène et comme s'il existait une communication idéale que tous doivent espérer atteindre. En rappelant que la transposition des modèles scientifiques classiques a pu en partie rendre l'être humain incompréhensible à ses propres yeux, on s'attaque entre autres à l'idolâtrie du langage parlé que l'on prend trop souvent comme centre d'attention pour rappeler ensuite l'existence d'une foule d'autres langages au moyen desquels se négocie une réalité sociale en perpétuel mouvement. Et dans cet univers beaucoup moins stable qu'on ne l'avait escompté ou espéré, on accorde alors à l'humain le rôle principal, celui de créateur de mythes.

Le chapitre 2 amorce la présentation systématique, quoique encore très imagée, des nombreux mythes qui peuplent l'univers quotidien des communications interpersonnelles et qui sont partiellement responsables de la transformation de l'interaction en une guerre à peine voilée entre des réalités qu'on défendrait en raison de leur importance quant au sentiment d'exister concrètement qu'elles suscitent. Progressivement, le théâtre des interactions devient l'instrument d'une démonstration pour une redéfinition des phénomènes de communication, et l'on se retrouve en fin de compte avec 19 mythes dont on peut tirer avantage dans la gestion de nos relations quand on accepte de s'en affranchir.

Mais le tableau resterait incomplet si l'exercice n'était poussé jusqu'à la formulation de propositions sur la communication. Aussi le chapitre 3 propose-t-il des axiomes et des corollaires qui en découlent, lesquels se veulent autant le reflet de l'intégration des travaux les plus récents sur la communication interpersonnelle que des ajouts intéressants, croyons-nous, aux axiomes proposés par Watzlawick en 1972, dont on s'est borné jusqu'à maintenant à expliquer la portée plutôt que de s'efforcer de compléter la perspective.

Le dernier chapitre, quant à lui, intéressera autant les personnes qui se préoccupent de l'utilité des axiomes et corollaires que celles qui se préoccupent d'une meilleure compréhension des interactions humaines. Rédigé de façon à illustrer les mythes en action et à mettre en évidence la manière dont leur existence nous permet de concevoir des stratégies, agrémenté d'anecdotes et de comptes rendus de situations vécues dont nous expliquons la dynamique, ce chapitre se termine avec la présentation de 23 énoncés à partir desquels toute situation de communication interpersonnelle devient une situation de négociation mettant en cause une gestion des impressions et une manipulation de l'information, sans pour autant prétendre qu'il devrait en être autrement.

Le fait que ce livre s'achève sur des illustrations et sur la présentation d'énoncés stratégiques à propos de la gestion des phénomènes de communication pourrait laisser croire qu'est reléguée au second plan l'affirmation selon laquelle l'humain est à la recherche de son identité et que celle-ci émerge de l'affrontement de réalités subjectives édifiées en absolus. Tel n'est cependant pas le cas. Nous espérons plutôt que les événements dont nous faisons état au chapitre 3 contribueront à démontrer comment cette dynamique s'étend à toute l'activité humaine. Au foyer, au travail ou en public, le rituel se poursuit. Cette dimension échappe parfois à notre attention parce que nous avons tendance à compartimenter l'existence; cette attitude nous conduit d'ailleurs à penser que nous aurions plusieurs identités distinctes et indépendantes suivant les lieux et les circonstances. Or cette vision fausse repose, disons-le encore une fois, sur un découpage arbitraire du réel, sur une ponctuation particulière du vécu. Souhaitons que cet aspect ne soit que plus évident à la lecture de ce livre, car on peut y trouver matière à repenser le quotidien.

Mise en contexte de la communication humaine : mythologie d'aujourd'hui et d'hier

Remise en cause de l'orthodoxie

Nous plaidons coupables

Ce chapitre plaide en faveur de l'insolence. Sans préambule ni démonstration savante, il se lance à l'assaut de croyances populaires et même de points de vue dits scientifiques. L'hérésie est volontaire et poursuit des fins stratégiques. Effronterie et audace, l'intention de créer du mystère côtoie le désir de plaire. Machiavélisme de la forme, le dénouement demande une métaphore qui pousse la clarté jusqu'à l'évidence. Persuadés du rôle salutaire de l'angoisse générée par l'incertitude, nous entendons mettre en doute l'orthodoxie, ouvrir une brèche. L'affirmation est sans nuance : en matière de communication humaine, la plupart des gens ont peu conscience de leur ignorance. Pire encore, la complexité du phénomène dépasse largement les écrits les plus documentés, comme l'a savamment démontré Paul Watzlawick[1].

Nous vous proposons un voyage dans l'insolite univers des croyances enfantines qui perdurent malgré leur évidente inexactitude. Mis à part l'effort de petits groupes de chercheurs isolés, ceux des écoles de Palo Alto et de Milan, les travaux sur la communication se résument à un intérêt pour la

---

1. La bibliographie présentée à la fin de ce volume fournit une liste complète des ouvrages de Paul Watzlawick sur la communication.

transmission de l'information. À peine commence-t-on à réfléchir sur ses effets, sur sa dimension pragmatique. L'importation des travaux de Shannon (1949) a bien servi le développement des télécommunications, mais parallèlement elle maintient les sciences humaines dans les ténèbres. Une rupture s'impose, laquelle comporte un risque. Hors de l'Église point de salut, le haut savoir tolère mal les questions pertinentes quand elles sont présentées sans ménagement ou subtilité. Or nous plaiderons coupables.

Communication et non-communication
======================================= *L'autruche et l'incommunicabilité*

Nous vivons tous dans des bulles. Voyageurs isolés, nous traversons l'univers du quotidien sans véritable rencontre ou contact tangible. Parfois une bulle éclate et quelqu'un disparaît. Drame pour les proches, l'événement touche peu les autres. Une indifférence à peine voilée paraît régner sans que personne s'en offusque. Quand, au hasard de ce périple sans ordre apparent, deux bulles s'unissent, une membrane rappelle la distance. L'union totale semble impossible. Prisonniers pour l'éternité, nous ne sommes pas là pour vous, vous n'êtes pas là davantage pour nous, nous n'avons jamais été là. Cette danse de la solitude symbolise l'irréductibilité de l'individualité, nous enveloppe du voile épais d'un isolement définitif qui serait notre lot[2].

Curieux langage que voilà! Pourtant, on nous le tient depuis nombre d'années. Qu'un problème humain se pose dans un groupe et l'individu seul est regardé, écouté, analysé, disséqué et aidé[3]. Quand par définition le problème est dans l'humain, la solution ne peut guère jaillir d'ailleurs. Du moins le croit-on. Voilà où ont conduit le respect de la psychanalyse et l'engouement pour le modèle télégraphique de Shannon[4]. Or les choses peuvent changer. Le mythe de la condamnation à la solitude éternelle vacille sur son trône; notre façon de nous comprendre et d'envisager nos rapports avec les autres est mise en doute par les travaux sur la nouvelle communication[5].

2. Laing, Ronald D., *La Politique de l'expérience*, Paris, Stock, 1969.

3. Edmond, M. et Picard, D., *L'École de Palo Alto*, Paris, Retz, 1984.

4. Importé en sciences du comportement, ce modèle qui concerne la transmission de l'information et qui met en cause les concepts d'émetteur et de récepteur a débouché sur une vision mécaniste de la communication humaine et suscité l'impression qu'on devient sourd lorsqu'on émet et muet quand on reçoit.

5. Winkin, Y., *La Nouvelle Communication*, Paris, Seuil, 1981.

Einstein affirmait aux physiciens de son époque que la théorie décide de ce que nous pouvons observer. L'assertion inquiète, surtout quand on songe au statut privilégié accordé aux sciences pures. Transposée dans le domaine de la communication, elle signifie que si nous croyons à la solitude éternelle, cela suffit à nous y condamner. Mais comme un doute salutaire hante l'esprit, les chercheurs des groupes de Palo Alto et de Milan ont renié le dogme. Dès que deux personnes se trouvent dans une même pièce, il y a communication[6]. Vous êtes là pour nous, nous sommes là pour vous, nous étions réunis depuis le début! Tout compte fait, ce langage sied mieux à un volume qui traite de gestion des relations interpersonnelles. L'autruche n'a pas toujours la tête dans le sable. L'impression de solitude vient plutôt de la façon de déterminer s'il y a communication ou non, et il faut retenir que la communication dépasse la simple volonté de participer à celle-ci. L'erreur la plus commune serait de la réduire au seul langage parlé qui, à certains égards, n'en est pas le principal volet même s'il en est parfois le plus évident.

Pour une étude différente des rapports humains
À l'ombre de la science: l'humain hors du bocal

Le mythe de la bulle, en d'autres termes celui de la condamnation à la solitude, a pris naissance en des circonstances difficiles à identifier avec exactitude. Freud, Shannon ou Laing ne méritent pas d'être cloués au pilori. Bien des inventions changent radicalement de signification quand elles tombent entre les mains du profane; les théories de ces derniers n'ont pas échappé à cette règle. La tentation est forte, alors, de remonter jusqu'aux philosophes de la Grèce antique, mais la recherche d'un coupable masquerait l'essentiel. Dans cette quête de compréhension de l'être humain qui s'accompagnait d'une soif de certitude, certaines façons de l'étudier ont eu pour conséquence de nous le dissimuler. L'utilisation abusive de méthodologies issues des sciences pures, entre autres, a dénaturé en partie l'objet d'étude[7]. Nous voilà victimes de nos artifices et de leurs effets, car l'être humain ne se comprend qu'en relation avec ses semblables.

En sciences naturelles, l'orthodoxie stipule que l'observation d'un phénomène respecte certaines règles. D'abord on isole l'objet d'étude, puis on exerce un contrôle rigoureux sur les conditions d'expérimentation. Ainsi

---

6. Watzlawick, P. et al., *Une logique de la communication*, Paris, Seuil, 1972.

7. Fourez, G., *La Science partisane*, Gembloux, Éditions J. Duculot, 1974.

travaille-t-on en vase clos afin de garantir la valeur relative des résultats. Par souci de crédibilité et de prudence, plusieurs chercheurs ont enfermé l'humain dans leurs laboratoires. De ce fait, en matière de communication, ils ont beaucoup appris sur l'humain dans le bocal et sur les problèmes de transmission de l'information. Victimes de leurs précautions, notre ignorance des effets de la communication sur les individus hors du bocal saute aux yeux. Il est certes possible de discourir sur la valeur scientifique des recherches effectuées dans ce cadre, mais l'objet d'étude demeure pour l'instant mystérieux, paradoxal.

Encore aujourd'hui, le comportement humain contredit régulièrement les plus subtiles théories disponibles. D'une part, les gens se battent entre eux, polluent leur environnement et dépensent des fortunes pour maintenir des services secrets et un arsenal militaire qui risque d'exploser entre leurs mains. D'autre part, ils créent des forces de paix à l'O.N.U., des programmes de dépollution, ils marchent pour la paix et développent des systèmes de communication de plus en plus sophistiqués. Le boum de l'informatique en est un exemple. Certains s'émerveillent même et jouissent du paradoxe. La compréhension des subtilités du comportement humain n'est ni pour demain, ni pour après-demain. Quant à la capacité de prédire en ce domaine, il est préférable de ne pas y songer pour l'instant. Un défi plus fondamental demeure: nous comprendre mieux.

D'un certain point de vue, cette difficulté à comprendre l'être humain reflète des limites et constitue une invitation à s'ouvrir aux idées nouvelles qui ne manquent pas. Une révision des croyances actuelles pourrait même, selon les cas, donner des résultats surprenants. Peut-être certains aspects ont-ils été mal compris ou des éléments importants ont-ils été oubliés en cours de route: l'histoire de l'astronomie confirme cette possibilité. Que la Terre soit à peu près ronde et tourne autour du Soleil, peu de gens l'ignorent de nos jours. Or cette connaissance a mis bien du temps à faire son chemin.

Déjà au temps des Grecs de l'Antiquité, Ératosthène avait placé le Soleil au centre de notre système planétaire. Il avait mis la Terre en orbite bien avant Galilée. Cette connaissance élémentaire fut perdue puis retrouvée plusieurs fois avant que le doute disparaisse. Certes, pour expliquer le phénomène, on pourrait invoquer l'Inquisition, le dogmatisme, les guerres, les bouleversements historiques et même l'absence de contact entre certaines civilisations. Mais les explications risqueraient de masquer la répétition de l'événement. D'autres connaissances ont subi le même sort. Les explosifs étaient bien connus des Chinois longtemps avant qu'ils viennent décorer nos champs de bataille. L'histoire révèle que les plus belles trouvailles risquent de sombrer dans l'oubli. Si la prudence nous fait défaut, le concept de relation pourra subir un sort identique. Pourtant, il joue un rôle fondamental dans l'étude de l'être humain, cet être de communication.

Selon le Petit Robert, la définition scientifique du terme «relation» se lit comme suit: «tout ce qui, dans l'activité d'un être vivant, implique une interdépendance, une interaction (avec un milieu)». Dans cet ordre d'idées, l'étude des relations interpersonnelles devient celle des dépendances réciproques entre individus. Pour comprendre l'humain, il importe de l'observer dans ses rapports avec ses semblables; l'isoler devient absurde[8]. L'humain dans le bocal n'a aucun sens. Dans le quotidien, cet aspect est souvent oublié. Cet oubli est toutefois impardonnable en «sciences» de l'humain, où les marchands d'illusions, conscients ou inconscients, sont légion.

Nul n'agit en vase clos, chacun l'admet, et pourtant les explications de la conduite humaine contredisent régulièrement cette conviction. On a tendance à se réfugier dans des termes tels le psychisme, la personnalité, le caractère ou l'instinct, et les efforts consentis à cette recherche de compréhension des phénomènes risquent de conduire à une réduction de leur complexité. La prudence est de rigueur, on ne devrait pas couper les individus les uns des autres, comme si un match de football pouvait se dérouler uniquement en fonction de la personnalité des joueurs, ce qui serait nier la relation de dépendance réciproque. De la même manière, il importe d'écarter le mythe de l'humain dans le bocal car il entretient l'illusion dénoncée.

Sous quel angle doit-on alors étudier l'humain hors du bocal? Faut-il tenter d'expliquer son comportement en situant ses origines uniquement en lui-même ou bien cette originalité de la nature doit-elle être comprise à partir de ses rapports avec son entourage et son environnement dont les autres[9] sont partie? En matière de communication, ces questions ne se posent pas. Si nous sommes information les uns pour les autres, ce concept devient alors le pivot de toute tentative d'étude. À ce titre, ce n'est alors pas tant la transmission de l'information qui prend de l'importance que ses effets, c'est-à-dire la façon dont l'interdépendance dans l'interaction donne lieu à l'édification d'une réalité qui sert par la suite de contexte d'interprétation de la conduite humaine[10].

---

8. Koestler, Arthur, *Le Cheval dans la locomotive, le paradoxe humain*, Paris, Calmann-Lévy, 1968.

9. L'humain est à la fois individu et environnement pour les autres.

10. Dionne, P. et Ouellet, G., *Vision pragmatique interprétative: analyse stratégique de la négociation*, thèse de doctorat, Université Laval, février 1984.

Nous aurons l'occasion de revenir sur cet aspect; la création du réel et le processus qui y conduit nous permettront alors de constater combien chacun forge le monde et participe à son édification. Pour l'instant, il paraît plus à propos d'amorcer progressivement une révision des mythes qui hantent notre quotidien. Ils sont l'arrière-plan des croyances les plus répandues au sujet de la communication.

Communication au-delà des mots
Derrière le miroir: idolâtrie du langage parlé

Il est d'usage d'accorder une importance primordiale au langage parlé. Or, comme le signale à juste titre Edward T. Hall[11], nous serions surpris d'apprendre combien l'interprétation d'une communication sur la stricte base des contenus échangés peut maintenir les participants dans l'ignorance de l'essentiel. Les grands maîtres du cinéma savent fort bien que l'image médiatise les dialogues. Ainsi, orienter l'attention sur tout ce qui n'est pas dit en apprend parfois davantage à l'observateur que le discours: le «non-dit» recadre l'échange d'information explicite. La vie de couple met en perspective cette affirmation. Dans certaines circonstances, un simple regard suffit à réduire le partenaire au silence. Des informations s'ajoutent continuellement à celles fournies par le langage parlé et contribuent à donner un sens à la communication. Et si le langage parlé est mis de côté un instant, la communication prend alors bien d'autres aspects, révèle ses multiples facettes.

L'information transmise ne suffit pas à la compréhension d'une séquence de communication; ses effets sur le comportement se greffent sur le contexte d'interprétation[12]. Nos comportements au travail nous enseignent ce phénomène même si nous éprouvons de la difficulté à le cerner. Par exemple, dans certaines circonstances, nous savons qu'on nous cache quelque chose. Le regard des collègues, leur façon de nous éviter ou de nous informer sans rien révéler, bref, le «non-dit» nous met en garde et nous incite à la prudence. La réaction la plus naturelle consiste alors à rechercher activement l'information non disponible afin de compléter le tableau. Or il est complet! Ces comportements qui répondent au nôtre manifestent l'intention de nous garder en dehors du coup. De la même façon, en présentant explicitement

11. Hall, E.T., *Au-delà de la culture*, Paris, Seuil, 1979.

12. Watzlawick, P. *et al.*, *op. cit.*

un emploi du temps à quelqu'un, il est possible de lui signifier qu'il en est exclu. Le phénomène peut prendre d'autres formes et donner lieu à bien des nuances. Il peut même s'inverser en apparence.

Quand un individu se voit invité à participer à un comité ou à une réunion, son premier réflexe est souvent de s'informer. Il recherchera alors de l'information sur ce qui est censé se passer dans ce groupe et sur les raisons de sa présence, bref sur ce qu'on attend de lui. Cette attitude se comprend, l'incertitude se présente habituellement sous la forme d'un problème à résoudre. C'est alors l'ignorance, surtout la crainte de ses effets, qui suggère cette stratégie dont les conséquences peuvent être au désavantage du principal intéressé selon la manière dont il réagira à l'information obtenue. Si à cet instant un collègue lui révèle des données stratégiques, il se peut qu'il se sente lié par la confidence. Dès lors, il devient victime de l'information reçue. L'ignorance fait place à un savoir tout aussi contraignant! Pour éviter les impairs, l'individu a sacrifié une partie de sa marge de manœuvre, du moins en apparence.

L'observation des comportements qui surviennent dans les jours précédant les réunions révèle que beaucoup de gens sont plus à l'aise lorsqu'ils peuvent anticiper ce qui risque de se passer lors de ces rencontres. Certains estiment ce fait à ce point nécessaire qu'ils sont mal à l'aise lorsqu'il en va autrement. Or, ils ne sont guère plus à l'aise par la suite s'ils se sentent liés par la confidence. Pourtant, on ne choisit pas entre deux maux. Il vaudrait mieux refuser la révélation de toute information dont l'utilisation est interdite. Si, au départ, une telle attitude limite l'interlocuteur, elle protège par contre sa marge de manœuvre. Un verre n'est jamais à moitié plein ou à demi vide; c'est plutôt l'intérêt pour son contenu qui conduit à se prononcer sur son état. Ainsi en va-t-il de l'information, ses effets dépendant des intérêts de chacun dans la communication en cours; de ce point de vue, contrôler la diffusion de l'information comporte aussi des risques appréciables.

Nous constatons que si l'ignorance semble parfois dangereuse, elle ne rassure pas nécessairement notre entourage, sinon celui-ci nous y maintiendrait. Cette situation explique en partie pourquoi la stratégie qui consiste à révéler une information confidentielle est employée si régulièrement. Confier à quelqu'un des secrets peut servir à le bâillonner. Toutefois, cette stratégie n'a qu'une efficacité relative. Elle repose sur le sentiment qu'entretient une partie d'être liée par la révélation. En effet, nul n'est vraiment lié s'il ne se lie lui-même. Nul n'est davantage redouté dans l'organisation que celui qui a la manie de tout révéler. Pour contrer ce type de personnage, le mettre sur la touche, on lui cache l'information stratégique. Bien des individus trouveraient cette position inconfortable. Or, d'un autre point de vue, il s'agit d'une position de force. L'individu en question dispose de toute sa marge de manœuvre! Il ne peut commettre d'impairs car il ne sait rien. Si ses gestes gênent, les autres doivent alors s'en accommoder ou lui révéler ce qu'ils souhaitaient dissimuler. Ainsi, le fait d'être tenu à l'écart peut comporter bien des avantages, car le pouvoir se nourrit du pouvoir et, dans cette jungle, la maîtrise de l'information apparaît faussement comme une condition de la réussite durable.

Cette ponctuation[13] particulière des événements met en perspective l'illusion de pouvoir créée par une maîtrise de l'information en circulation. L'individu qui détient une information importante peut en être la victime autant que le maître: toute révélation de sa part restructure ses relations avec les autres et le rend redoutable. S'il est réaliste de croire que tout finit par se savoir, il y aurait des avantages à ne pas assumer la responsabilité de dissimuler l'information. En dehors de toute considération éthique, cet exemple rend évident un aspect important de la communication: l'effet de l'information sur les personnes qui la convoitent ou tentent de la maîtriser.

Tout intérêt pour une chose entraîne une position de dépendance. C'est là l'envers du décor. Pour cette raison, il importe de percevoir l'effet de l'information sur l'environnement; l'évaluer *in abstracto* ne suffit pas car une information n'est jamais importante en elle-même; elle se révèle toujours l'être pour quelqu'un. Les stratèges militaires comprennent si bien cet aspect qu'ils gardent secrètes une foule d'informations souvent sans intérêt réel pour confondre l'ennemi. Cette stratégie de désinformation a caractérisé plusieurs manœuvres des services secrets durant la Seconde Guerre mondiale. La fabrication de faux secrets faisait partie des stratégies utilisées pour confondre les services ennemis: de la désinformation planifiée[14]. Dans ce contexte, la diffusion volontaire de l'information devenait une composante de sa dissimulation car il revenait à l'autre d'en mesurer la valeur. L'ennemi pouvait y perdre un temps considérable. Quand on nous met tout à coup dans le secret, c'est souvent la situation qui l'exige. Aussi, on peut à juste titre en conclure que la maîtrise de la situation n'est plus tout à fait entre les mains des individus qui font appel à nous...

Dans certaines circonstances, une diffusion excessive d'information peut compléter une stratégie de désinformation. Quand survient un dépassement de capacité, l'ennemi inondé par l'information devient méfiant en raison

---

13. Nous avons inversé le postulat classique.

14. Watzlawick, P., *La Réalité de la réalité, confusion, désinformation, communication*, Paris, Seuil, 1978.

de la confusion qui en découle. Ainsi, c'est surtout l'effet de l'information qui compte, non sa teneur *a priori*. Dans ce contexte, on comprend pourquoi certains accordent moins d'importance au secret qu'on leur révèle qu'aux raisons qui ont poussé l'interlocuteur à agir de la sorte. L'effet dépasse l'information brute.

Quand on y regarde de plus près, la police, les forces armées, les gouvernements autant que la pègre, la maffia et les «magouilleurs», tous craignent les fuites d'information et en vivent. Sans mettre tous ces groupes dans le même panier, leurs craintes demeurent tout de même révélatrices. La diffusion de l'information est une stratégie puissante. Pour le comprendre, il est nécessaire de se détourner du contenu de la communication, de mettre de côté un intérêt trop marqué pour le langage parlé et considérer comment tous s'adaptent à la diffusion de l'information. On aborde alors l'information à travers ses effets sur le comportement et l'on étudie la communication de la même façon. Telle n'étant toutefois pas la tendance dans la majorité des ouvrages sur la communication, cela conduit à une réduction de la complexité du phénomène et masque un autre mythe fort répandu, celui de la perception d'objets bien réels dotés de caractéristiques fixes. Le langage parlé fourmille de réductions utiles mais qui dissimulent le fait que nous vivons d'hypothèses[15]...

Vers une réalité qui émerge des relations
================================ *Réalité vraie et pièges du langage parlé*

Cette réduction de la complexité qui consiste à confondre le réel et l'image qui en émerge par le langage parlé caractérise le quotidien. Ainsi, on en vient à penser d'une manière particulière l'environnement immédiat sans soupçonner la présence d'un réductionnisme, et la conviction demeure que les objets perçus seraient bien réels. Nous disons: voilà une table, une chaise, une chambre à coucher, et hop! le tour est joué. Le monde est soudain peuplé d'objets bien matériels, tout à fait réels et rassurants. Il est possible de les toucher, de les déplacer, et cela suffit à confirmer le bien-fondé de l'impression. Pourtant, un simple séjour dans un pays de culture et de langue différentes des nôtres incite aussitôt à la prudence. La réalité n'est pas si définitive qu'elle ne le paraît. De nombreux objets familiers n'ont plus de sens quand vient l'idée de les faire passer d'une culture à une autre.

---

15. Goffman, E., *La Mise en scène de la vie quotidienne*, Paris, Minuit, 1973.

Même des comportements considérés d'habitude comme étant parfaitement clairs changent radicalement de signification. Ainsi, tirer la langue est une manière de saluer au Tibet. Plus encore, même les habitations n'ont un sens que pour les groupes culturels qui les conçoivent[16].

La maison japonaise traditionnelle se compose de murs mobiles afin que la pièce ait toujours les dimensions requises par les événements. On la rapetisse ou on l'agrandit à souhait. Nous ne jouissons pas de cet avantage dans nos maisons québécoises où la moindre réception d'envergure pose des problèmes d'espace. Par contre, les murs japonais seraient à nos yeux de bien piètres écrans! Ils sont si minces que nous aurions le sentiment de perdre toute intimité, sensation désagréable qui nous donne une idée du fossé qui nous sépare des gens de là-bas. Le mobilier japonais, quant à lui, n'est pas convertible. Bien des Japonais s'assoient à même le sol et mangent sur des tables pas plus hautes que nos chaises.

Certes, avec la révolution des télécommunications et la mondialisation de l'économie, des changements sont survenus. Les cultures se sont mutuellement influencées. Mais les transformations ne se sont pas toutes opérées dans le sens prévu. Les automobiles ont envahi le paysage arabe, mais on ne retrouve pas le respect nord-américain de la signalisation routière. On y va à la grâce d'Allah: au plus rapide le droit de passage. Même la conquête de l'espace, ce miracle de la science et de la technologie, bouscule les croyances rassurantes. Quand on y songe, quelle est l'utilité d'une table conventionnelle dans une navette spatiale où règne l'apesanteur, où murs, planchers et plafonds se confondent? Évidente au premier abord, l'idée que nous percevons des objets est fausse! En fait, nous percevons des relations[17]; le reste n'est qu'illusion, transfert de projection[18]. Galilée dut renoncer à l'idée que la Terre était ronde et tournait autour du Soleil pour échapper à l'Inquisition. Rappelons-nous qu'avec l'aide bienveillante du tribunal ecclésiastique, il reconnut son erreur: la Terre est le centre de l'univers... Heureusement, il n'y a pas seulement l'histoire ou les différences culturelles qui révèlent ce monde fait de relations, l'enfance est également une bonne école.

L'enfant apprend à l'école que le mouvement est relatif. La perception d'un déplacement est tributaire de l'existence d'un point de repère. Les militaires ont bien compris ce fait et maquillent leurs troupes et leurs véhicules de combat dans l'espoir qu'ils se confondront avec le paysage. De

---

16. Voir les ouvrages d'E.T. Hall mentionnés dans la bibliographie.

17. Watzlawick, P. *et al.*, *op. cit.*

18. Hall, E.T., *op. cit.*

même, quand nous lisons un texte, certaines règles nous échappent. Chacun sait que l'agencement des lettres donne naissance à des mots qui, présentés dans un certain ordre, génèrent des phrases dont la fonction est de transmettre une idée. Par la suite, de la relation entre les phrases et le contexte dépend le message livré[19]. Pourtant, la lecture se passe de ces nuances. Or, nul ne pourrait lire un texte si les pages et les lettres étaient de la même couleur. Le contraste naît d'une relation entre le fond et la forme, rendant la lecture possible. Il en va de même de l'expérience de la réalité quotidienne[20]. Nous percevons des relations et des systèmes de relations.

Pour tout dire, la relation est le chaînon manquant. Elle ne fournit pas en elle-même toutes les explications recherchées, mais elle doit être associée à nos efforts pour nous comprendre nous-mêmes et pour comprendre les autres. Tout au long de nos réflexions sur les rapports humains au travail ou dans le privé, la relation sera au cœur de nos préoccupations. Nous sommes ce que sont nos relations, indispensables les uns aux autres; l'humain doit sortir du bocal.

Comprendre l'être humain par ses relations
===================== *La découverte d'une antiquité: la relation restaurée*

Aux yeux du profane, les antiquaires ont un comportement curieux. Ces singuliers personnages s'émerveillent lorsqu'ils découvrent dans le recoin d'une grange délabrée une vieille chaise, d'une propreté discutable, tachée de peinture, en partie démontée et dont les origines de même que l'âge leur donnent des frissons de plaisir. Quelle jouissance représente ce moment pour eux! La perle convoitée prend un éclat indescriptible. Pour l'individu qui a oublié dans un coin ce vestige du passé, l'antiquaire est vraiment un drôle de numéro. D'ailleurs, pour le propriétaire de l'objet de ce désir en apparence incontrôlable, un tel amour des vieilleries s'explique difficilement, surtout s'il conduit à traiter avec tendresse une chose dont la destinée était au mieux de finir en bois de chauffage. De la même façon, notre insistance sur la relation dans l'étude du comportement humain peut-elle surprendre, mais elle s'explique.

Pour nombre d'experts des relations interpersonnelles, un intérêt si fort pour les relations surprend ou rebute à juste titre. La quantité remarquable

---

19. Nous évacuons volontairement le rôle actif du lecteur.
20. Watzlawick, P., *et al.*, *op. cit.*, p. 21.

d'ouvrages sur le sujet justifie mal les ajouts. Tout n'a-t-il pas été dit? Bien plus, la mode systémique domine outrageusement; pour elle la relation appartient au passé. Fausseté, dirons-nous: un système n'est que la représentation d'un ensemble de relations. Malgré son âge respectable, cette notion n'est pas dépassée; elle est souvent même fort mal comprise. Reconnaissons cette possibilité: Léonard de Vinci dessinait des avions bien avant la venue des frères Wright. Il ne suffit pas de savoir que la relation concerne les dépendances réciproques, il faut inclure cette dimension dans la lecture des événements quotidiens même les plus banals. Bien des ouvrages spécialisés omettent ce fait et proposent un contexte individuel d'explication. Cette lacune saute aux yeux quand on consulte les ouvrages de référence recommandés aux étudiants dans les universités. Douloureuse constatation qui renforce le sentiment selon lequel la provocation s'impose; le dormeur doit se réveiller... La redécouverte de la relation est en définitive la découverte d'une antiquité. Le fait est bien connu, tout comportement n'a de sens que par rapport au contexte dans lequel il s'inscrit[21]. Alors, sortons du bocal; il serait déplorable de réduire l'humain à un cavalier sur l'échiquier dont les comportements devraient être compris uniquement à partir de la personnalité de la pièce!

Vision causale, vision relationnelle
================================ *Le troisième œil: le voyage de l'incrédule*

Le comportement est riche en paradoxes. En dépit des difficultés qui surgissent quand on souhaite le prédire, peu importe les phénomènes observés, il y a toujours une explication à fournir sur quelque chose. Comme si l'ignorance avouée révélait une tare... Quand une question se pose sur la conduite de quelqu'un, si le comportement à l'étude paraît absurde, la panique, l'immaturité, l'inconscience ou encore la folie sont alors évoquées. Tout convient sauf l'inexplicable. Sans prétention ni mauvaise foi, chacun adopte à ses heures le statut de psychologue. Il se trouve même une réponse quand, dans son for intérieur, l'expert du moment avoue son trouble face à l'ignorance. Dans ces conditions, le réflexe sera de supposer que l'individu agit ainsi pour telle raison, ou encore parce que les circonstances rendent l'issue inévitable. Bref, on associe une cause à un effet, quitte à reconstruire les événements pour les rendre compréhensibles. Or l'explication par les causes n'est qu'une option.

---

21.   Watzlawick, P. et al., *op. cit.*, p. 15.

Aux échecs, savoir pourquoi les pièces sont disposées de telle manière après le 28ᵉ coup ne change rien à l'état de la partie ni à la nécessité pour les noirs ou les blancs de sortir de l'impasse. Rappelons que les échecs sont un jeu à information permanente. La perception de la relation entre les pièces suffit pour poursuivre une partie, peu importe le moment de l'arrivée sur les lieux. Cette nuance, qui tient à la relation entre les pièces dans le contexte, nous permet d'illustrer comment la perception du comportement humain change quand le troisième œil s'ouvre.

Pour comprendre ou influencer un individu dans une situation donnée, la connaissance des causes de son comportement actuel n'est pas essentielle[22]. Il faut cependant une nouvelle façon de décrire, de comprendre et d'expliquer les phénomènes qui servent de cadre de référence à l'action. Ainsi, un joueur d'échecs peut-il être remplacé au cours de la partie sans qu'on doive reprendre depuis le début. Nous verrons comment la chose est possible quand les relations interpersonnelles sont en cause. Dans ce domaine comme dans celui des échecs, ce sont les relations entre les individus en cause qui peuvent éclairer l'observateur. Pour le moment, rappelons-nous que le troisième œil implique la perception du quotidien à travers le filtre des relations. Au lieu de sonder les profondeurs de l'âme humaine afin d'y découvrir les motivations qui poussent l'individu à agir, il suffit de lire une situation à partir de ce qu'elle est au moment de notre arrivée, à la manière d'un joueur d'échecs. Ne dit-on pas que nul n'a besoin de savoir pourquoi la poule pond un œuf pour réussir une omelette?

Dans le langage de la psychologie traditionnelle, un individu peut être amoureux, agressif, fou, sain d'esprit, créateur et bien d'autres choses encore, et parmi celles-ci fin psychologue. Notre métaphore implique un vocabulaire différent. La lecture de l'humain dans ses relations quotidiennes change le mode de description des individus et, conséquemment, la manière de les comprendre. Pour saisir la distinction, le rappel de quelques évidences nous semble opportun.

Comportement et contexte
== *L'impossible solitude*

Selon une vérité de La Palice, dès que nous sommes en présence d'une autre personne, nous ne sommes jamais vraiment seuls. De la même façon,

---

22. Watzlawick, P., *Le Langage du changement*, Paris, Seuil, 1980.

sauf dans le cas du narcissisme, nous devons admettre qu'il est difficile d'aimer si nous n'avons au moins une personne à aimer. Pour se disputer, il est utile d'avoir un adversaire à enguirlander et, pour être fort, il faut pouvoir se comparer avec au moins une personne. L'amour, l'agressivité, la folie ou la peur, dans une vision fondée sur les relations, deviennent plus que des étiquettes qui campent un personnage. Ces termes décrivent des relations qu'une personne entretient avec son environnement, dont ses semblables constituent une part non négligeable. Lire les relations quotidiennes équivaut à redécouvrir une signification oubliée, masquée par l'utilisation outrancière de certains mots. Reste à savoir si tout n'est que relation.

Quand on songe, par exemple, aux individus qu'on trouve dans les hôpitaux psychiatriques, le doute fait surface. Bien sûr, ceux qui y séjournent ne sont plus catalogués aussi strictement qu'auparavant. On ne les déclare pas tous fous. Il reste que certains d'entre eux ne sont absolument pas fonctionnels dans la société et cela suffit à créer le scepticisme. Il n'est aucunement question de remettre en cause ces phénomènes ou de chercher à les dissimuler. Cependant, une nuance s'impose. Habituellement, on ne reproche pas à ces individus d'être ce qu'ils sont. On s'en prend plutôt aux relations anormales dans lesquelles ils nous placent... Pourtant, ils ne sont pas les seuls à provoquer des réactions en raison d'un comportement qui s'éloigne des normes. Prenons le cas d'un adolescent surpris en flagrant délit de vol à l'étalage et amusons-nous à imaginer un scénario.

Durant sa ronde, un surveillant surprend un jeune homme en train de voler. Il lui reprend l'objet dérobé, l'accompagne à la sortie et lui expédie un coup de pied au derrière. Ce n'est pas la relation, certes, qui botte le derrière du jeune délinquant. La nuance se situe à un autre niveau. Elle est peut-être même plus simple qu'on ne le croit. Il s'agit plutôt de se rappeler, au moment d'expliquer la situation, qu'un coup de pied au postérieur requiert la présence d'une personne qui donne et d'une personne qui reçoit. Ainsi, toute explication du comportement suppose que la conduite de l'un ne s'interprète qu'en fonction de celle de l'autre, entraîne la question quoi; le pourquoi ne changerait pas la perspective.

Cette nuance suggère que les relations de cause à effet sont toujours circonstancielles et dépendent intimement d'un contexte particulier. Elles ne sont pas nécessairement stables. Botter le derrière d'un berger allemand aura des conséquences différentes selon la relation qui existe entre ce chien et l'individu qui le gratifie du geste. Devant son maître, le chien se soumettra probablement sans répliquer. Si celui qui donne le coup est un étranger, il risquera l'amputation de sa jambe... La personnalité des parties n'a que peu d'effets. De la même façon, pour un daltonien, ce n'est pas la couleur du feu de circulation qui indique le geste à poser, c'est sa position qui l'informe, laquelle se définit en relation avec les autres feux. Ainsi, le concept «bleu» serait inutile dans un univers où seule cette couleur existerait. Il en va de même de la relation. L'impossible solitude réside dans le besoin de la présence des autres qui a pour effet de confirmer le sentiment qu'on existe. Il n'y a ni imbécile ni génie solitaires. Ces quolibets sont une façon de qualifier la perception d'une relation. Comprendre le comportement à travers les relations ne constitue pas une négation de l'existence de l'individu qui exécute celui-ci. Au contraire, cette compréhension demande qu'on ajoute l'environnement et le contexte à l'individu pour l'édification du raisonnement avancé.

On ne peut pas ne pas communiquer (Watzlawick *et al.*)
=================== *La condamnation à la promiscuité éternelle*

Dans *Le Misanthrope*, Molière nous rappelle combien la solitude nous est refusée. En fait, l'être humain est condamné à la promiscuité. Ses sens le placent en situation d'échange d'information avec son environnement, et cela, continuellement. S'il pouvait s'isoler définitivement des autres, ses réactions émotives face à autrui deviendraient tout à fait inutiles et cet aspect de lui-même s'atrophierait. Cet état de promiscuité, qu'il maîtrise mal, tient à une caractéristique particulière de l'information: elle relie des choses qui ne seraient pas reliées autrement.

Par ses sens, l'individu échange avec l'environnement du début à la fin de sa vie. Respirer, manger, dormir, parler, écouter, sentir sont des illustrations de l'infini panorama de ses contacts avec l'univers. Et si les individus sont une partie de l'environnement les uns pour les autres, dès que nous sommes en présence de quelqu'un, il y a échange d'information, une relation existe. Le choix est impossible, c'est la condamnation à la promiscuité, expression signifiant qu'on ne peut pas ne pas communiquer[23]. Aussi, en matière de communication, si le contenu paraît important, la relation l'est également. Elle joue un rôle déterminant: elle indique comment recevoir le message, le colore, l'ordonne. Nous reviendrons plus en détail sur ce point. Pour l'instant, apprécions la différence introduite par une compréhension du quotidien à partir des relations placées dans leur contexte.

---

23.   Watzlawick, P. *et al.*, *op. cit.*, p. 46.

Définition de l'être humain dans ses relations
Le centre de l'univers

Le centre de l'univers quotidien est la communication. Devenue la maladie du siècle, elle s'immisce partout par le biais de la radio, de la télévision, du magnétoscope, de la chaîne stéréo, du téléphone et finalement de l'ordinateur, cet intrus à clavier dont on chante les merveilles alors que seule une minorité de gens sait l'utiliser convenablement. Cette maladie, le plus souvent décrite par ses symptômes, n'est en ces termes qu'effleurée. Force est de reconnaître qu'elle dépasse le virage informatique ou technologique qui, par rapport à la communication humaine, prend les allures d'un soubresaut. En fait, à travers l'inextricable réseau des communications interpersonnelles quotidiennes dont l'informatique n'est qu'une manifestation, l'individu, produit de la vie en société, lutte pour sa survie, sans cesse menacé par l'anonymat. L'humain communique pour se définir, et ses relations avec ses semblables sont au centre de son univers. Il est essentiellement un être *en* et *de* communication. Cette quête de lui-même est médiatisée par les relations auxquelles il participe, par la communication dont il est pour autrui un élément.

Pour la psychologie traditionnelle, l'univers de l'individu était surtout intérieur. Fait d'un ça, d'un moi et d'un surmoi[24], ou encore d'un père ou d'une mère, d'un enfant et d'un adulte[25], peu importe, l'essentiel se passait en dedans de soi. Inversons-nous alors tout simplement la perspective? Non, nous la modifions. Nous proposons un être humain à la recherche de lui-même dans un environnement incluant ses semblables, et dont l'existence dépend de ses relations et, consécutivement, de la communication. Pour clarifier la portée de ce changement de point de vue, nous utiliserons nombre de métaphores qui serviront à mettre en perspective les relations quotidiennes. Comme la vie au travail constitue pour plusieurs d'entre nous plus de 50 % du quotidien, nous ne nous limiterons donc pas à la famille ou au couple. L'univers administratif ou des relations de travail aussi bien que celui de l'éducation ou du loisir conviendront également. Le message prime l'exemple. Notre but sera toujours de mettre en évidence le fait que nous en savons beaucoup plus sur l'humain que nous ne le croyons, de même que notre fâcheuse habileté à ne pas utiliser ces connaissances.

---

24. Termes de psychanalyse.
25. Termes d'analyse transactionnelle.

Communication, intention, effet

======================================= *Le mirage de la vérité*

Pour donner un avant-goût des pages qui suivent, nous terminons ce chapitre par une brève réflexion sur la procédure administrative. Il n'existe pratiquement aucune organisation qui, à un moment donné, ne se dote d'une procédure. Conçue pour décrire comment les choses doivent être faites, dans quel ordre et par qui, et pour préciser qui doit être informé et quand, elle est le lot de toute entreprise. Il y a peu de gens qui ne se soient butés au moins une fois sur la procédure alors qu'ils demandaient qu'une action soit exécutée le plus vite possible. Les salles d'urgence des hôpitaux sont un exemple éloquent de cette situation, où le rituel du dossier à remplir est dramatiquement vécu.

À qui n'a-t-on pas dit un jour ou l'autre que, sans la carte de l'hôpital, on ne pouvait recevoir rapidement de traitement? Il vous arrive peut-être même de penser que la seule façon d'éviter le rituel de l'admission est d'arriver inconscient. Imposées au patient par l'administration hospitalière, les cartes doivent permettre une saine gestion des services. Or, dans certains cas, elles rendent la maladie presque sympathique... Il en va de même des salles d'attente. On sait que tout bon médecin a un horaire à suivre. Le patient doit alors prendre rendez-vous. Le problème est de réussir à planifier la maladie. Au Québec, un rendez-vous chez l'ophtalmologiste prévu pour 13 h 30 assure au patient qu'il sera traité au cours de l'après-midi, à n'importe quel moment, sauf à celui fixé. Toutes ces situations ont une chose en commun: la procédure fonctionne dans le but de créer un ordre qui lui échappe et, comme si tout cela n'était pas assez compliqué, rien ne prévoit ce qu'on peut faire quand elle se révèle inefficace...

En vérité, le désordre qui prévaut montre bien l'inefficacité du système; mais il reste en place parce qu'on craint ce qui surviendrait en son absence ou parce qu'on est dans l'impossibilité de l'ajuster. On ne songe surtout pas au fait que la situation est déjà absurde! En quelque sorte, le mal est déjà présent et le remède est inutile. On reste coincé entre l'intention et l'effet.

Ainsi en va-t-il des relations quotidiennes. Par la force des habitudes, on en vient à répéter des comportements sans y réfléchir. On fonctionne comme si les choses allaient d'une certaine manière alors qu'elles se déroulent tout autrement. Nous sommes victimes du mirage de la vérité. Cette situation déplorable a deux conséquences importantes. D'abord, elle nous conduit à poser des gestes dont les effets vont souvent à l'encontre de nos désirs[26]. Ensuite, et c'est plus grave, nous en venons à ne plus nous comprendre nous-mêmes, à imaginer que certaines relations sont incompréhensibles. Pour tout dire, les choses pourraient être beaucoup plus simples. Un credo doit pour cela être écarté, celui qui suppose qu'une seule réalité existe, concrète et indépendante des individus.

En ce qui touche la communication humaine, nous verrons que nous la percevons d'une manière, mais elle dépasse en complexité nos idées sur le sujet. Or, pour nous comprendre, nous devons connaître autant nos mythes sur la façon dont les choses se passent que sur la façon dont elles se passent autrement. Croire en quelque chose influence nos comportements, même quand cette croyance se révèle non fondée. Dans cette perspective, nos propositions sur la communication compléteront le tableau; elles le modifieront sans toutefois nier toutes nos croyances antérieures...

Communication médiatrice du réel
Divin créateur ou vilaine sorcière?

Depuis notre plus tendre enfance, même si nous apprenons la relativité du mouvement et prenons connaissance du doute qui hante les scientifiques dans leur quête du savoir, une mythologie nous est enseignée implicitement. Comme si une vilaine sorcière nous avait jeté un sort, nous sommes poursuivis par le sentiment d'une nécessité, celle de l'existence objective d'une réalité concrète qui se situerait hors de nous. Nous passons un temps fou à tenter de démontrer la présence de celle-ci[27]. Les mythes se transforment: la Terre plate devient ronde, voler s'avère possible, les voyages dans l'espace se concrétisent, Tintin sur la Lune n'est plus de la fiction.

L'entêtement à découvrir cette réalité objective masque cependant un aspect essentiel de l'existence. Les mythes sont le produit de l'humain et leur force dépend d'une confiance aveugle en des grands prêtres. Il serait bien plus simple d'admettre que l'humain est un colporteur de mythes que rassure sur ses propres croyances la foi des fidèles qui l'entourent. En quelque sorte, l'humain est un vendeur de réalités et ses relations médiatisent une perpétuelle négociation du réel.

---

26. Dionne, P. et Ouellet, G., *La Gestion des équipes de travail*, Québec, Gaëtan Morin Éditeur, 1981.

27. Paul Watzlawick développe cette idée dans son volume *La Réalité de la réalité, confusion, désinformation, communication, op. cit.*

Cette affirmation, qui élève l'être humain au rang de divin créateur de mythes, nous en faisons le thème central de ce volume. Nous proposons un scénario bien particulier, une réflexion sur la création du réel et sur le jeu subtil qui y conduit[28]. Au premier plan, on y trouve l'humain dans le rôle principal et la relation dans le rôle de soutien. Auparavant, il reste à faire le point sur les mythes les plus récents à propos de la communication. Nous évoquerons 19 de ces mythes avant d'introduire ceux que nous ajoutons et finalement illustrer les avenues stratégiques qu'ils rendent possibles.

---

28. Cette idée de la construction de la réalité sociale n'est pas nouvelle. Voir à cet effet Berger, P.L. et Luckmann, T., *The Social Construction of Reality*, N.Y., Anchor Books, 1967.

2

L'être humain
dans la communication
(condamné à communiquer
pour la vie éternelle,
la guerre des réalités)

Communication et volonté de communiquer

Toujours rester, jamais sortir

Quand nous étions petits, parfois les adultes nous terrorisaient au moyen d'une menace aussi grave qu'incompréhensible à nos yeux d'enfants: «Si tu vas en enfer, c'est pour toujours, et en ces lieux il y a une horloge qui ne fait pas tic-tac... Elle a certes un pendule, mais sans cesse il répète: toujours rester, jamais sortir. Alors, fais attention et conduis-toi bien si tu veux aller au ciel.» Sur ce qu'il y a au ciel, silence presque total. Voir Dieu, les anges, entendre les chants, ne plus avoir besoin de rien, pas même d'ourson en peluche... ce n'était guère plus intéressant pour un enfant. C'était trop calme. Et de là non plus, on ne sortait jamais. Curieux discours, qui faisait son effet malgré notre incompréhension, mais pas toujours celui escompté.

En ce qui a trait à la communication humaine dans la vie de tous les jours, c'est un peu la même histoire. Toujours rester, jamais sortir. Pourtant, nous oublions souvent cette histoire et croyons la dominer, la conduire. Curieux tout de même, car bien des anecdotes permettraient à chacun de témoigner de la fausseté de ce mythe de la maîtrise.

1er mythe

L'être humain dirige la communication

Comprenons dès le départ qu'au contraire, la communication nous dépasse et surtout ne suppose pas la volonté de communiquer. Même si l'impression de ce pouvoir qui permettrait de choisir naît des efforts que nous déployons parfois pour nous soustraire à la communication, nous sommes un élément de l'environnement des autres, une information disponible à leurs sens, et là-dessus nous n'avons aucun choix! Dans ce contexte, même le refus de communiquer devient un message auquel les autres peuvent se soumettre ou non.

Langages qui nous échappent
=============== *Je sais que vous savez que je sais sans pouvoir le dire*

L'observation du quotidien nous enseigne que même les profanes peuvent avoir l'intuition de l'existence de règles de conduite implicites qui gouvernent les relations interpersonnelles, d'un langage au-delà du langage, d'un ailleurs de la communication. A beau mentir qui vient de loin, la franchise est pour les intimes, et encore, avec des réserves. De vieux dictons laissent croire que toute vérité n'est pas bonne à dire et, réciproquement, ce qu'on ignore ne nous fait pas de mal. C'est comme si, suivant les personnes en présence ou les situations, le mensonge était de mise. Que révèle cette prudence dans les discours et, sur ce qu'on sait, quelle hydre se dissimule derrière ces principes de circonstance? Nous y voyons la manifestation d'une connaissance intuitive. Derrière cette attitude semble se profiler la conscience primitive d'un redoutable aspect des rapports quotidiens.

Tel l'enfant qui soupçonne le potentiel dramatique de sa première expérience des allumettes, l'individu perçoit confusément la grande subtilité de ses relations avec autrui. Or, dans ces situations, son comportement est pour le moins curieux; il agit comme si le contenu de la communication en lui-même n'était pas vraiment signifiant, ou comme si le message à transmettre pouvait être contredit par l'aveu de la vérité. Nous dirons à ce propos qu'il est alors aux prises avec l'un des problèmes les plus délicats des relations interpersonnelles: la difficulté à métacommuniquer. Peu de gens sont à l'aise quand vient le temps de parler de leurs relations, et ils le sont encore moins lorsqu'ils tentent de communiquer sur la communication. Cette difficulté devient encore plus évidente lorsque, dans une situation donnée, quelqu'un se voit obligé de dire «ceci est un ordre», ou encore «je plaisantais».

Il y a une expérience plus pénible toutefois. Quand, dans une réunion d'affaires, nous nous sentons obligés de serrer une main et de nous informer d'une personne, de rire de ses plaisanteries douteuses alors qu'en nous-mêmes nous tenons un tout autre langage, le problème est ressenti intensément et nous rentrons chez nous épuisés. Heureusement, il y a des cas où la situation peut être agréable. Les premiers instants d'une relation de séduction font partie de ceux-là. Dans ces circonstances, bien des aspects demeurent obscurs, mais cela paraît bien ainsi. Les approches sont subtiles, les gestes discrets, même l'éclat des yeux peut suffire. Mais il ne faut pas se méprendre. Ces expériences pénibles ou agréables révèlent les vicissitudes du langage parlé et ses relations subtiles avec d'autres modes de communication.

2ᵉ mythe

Il n'existe qu'un niveau de langage qui se manifeste par les écrits ou la parole

Au contraire, la communication se produit à plusieurs niveaux simultanément. Il existe une foule d'autres langages que le parlé ou l'écrit et ils contribuent tous à la communication. Les gestes, le ton de la voix, les mimiques, les rituels et les façons de faire les choses en sont des exemples; même l'aménagement de l'espace d'un bureau a un effet sur les visiteurs tout comme la façon de se vêtir. Mais, pour l'instant, constatons plutôt les limites du langage parlé.

Le langage parlé est bien imparfait. Il peut constituer un piètre support quand vient le temps de préciser le sens véritable d'un comportement, d'un discours. Or, ces problèmes résultent d'un aspect particulier de la communication: celle-ci se produit toujours à plusieurs niveaux en même temps[1].

---

1. Pour une discussion détaillée de ces aspects, voir Winkin, Yves, *La Nouvelle Communication*, Paris, Seuil, 1981.

Dans le flux parfois infernal des communications quotidiennes, cette subtilité échappe à l'attention, mais le fait demeure. L'utilisation de certaines expressions le rappelle régulièrement.

Sans que personne ait besoin de nous expliquer ces expressions, nous les apprenons très vite. Certaines expressions deviennent ainsi réservées à des situations spécifiques. La phrase «va chez le diable» ou l'utilisation des jurons révèlent ce phénomène. Certains termes sont même interdits par les convenances bien qu'ils soient familiers à tous. Ils sont réservés aux moments de grande colère et habituellement évoqués par de petits symboles dans les bandes dessinées[2]. Mais les difficultés ne se limitent pas à la multiplicité des niveaux de communication. Et s'il reste que le même message semble pouvoir signifier des choses très différentes suivant les circonstances, les relations parlent aussi à leur manière. Cette autre forme de langage qui procède peu des mots a des effets tout aussi importants.

Un individu acceptera parfois avec le sourire d'être traité d'idiot, alors qu'à d'autres moments il ne supportera pas la moindre allusion en ce sens. Que son amie l'envoie promener, au cours d'un dîner intime, alors qu'il lui tient des propos un peu osés, cela augmentera peut-être même son plaisir. Cependant, si son patron répond ainsi à l'une de ses demandes, ou manifeste de l'insatisfaction vis-à-vis de son travail, alors il cessera immédiatement de rire: quelque chose a changé, et c'est la relation qui est en cours. La communication dépasse de toute évidence le simple langage parlé. Elle comprend non seulement un contenu à communiquer, mais encore une relation dont on sent les effets. Cette relation est rendue accessible surtout par une série d'indices «non dits», car il est rare qu'on en parle très ouvertement. Ainsi, quand vient l'obligation de préciser le contenu d'un discours par l'expression «je plaisantais», c'est comme s'il importait de signaler à l'autre l'intention de parler de la relation, le désir de métacommuniquer, de communiquer sur la communication en cours.

3ᵉ mythe

La communication se limite à l'information explicite qui circule entre les individus

*Si la tendance est de simplifier ce phénomène complexe en réduisant
la communication à l'information qui circule de façon explicite,*

---

2. C'est le cas des jurons ou encore d'expressions considérées comme étant vulgaires par le commun des mortels, un individu que vous connaissez autant que nous...

nous devons dès maintenant écarter cette perspective. Comprenons
au contraire que la communication inclut le «non-dit», une large
proportion d'informations implicites; de même, le simple fait
d'interdire la circulation d'une information ou la décision de ne pas
énoncer clairement son point de vue sur un sujet sont à leur manière
deux messages importants. Parfois ces attitudes contribuent même à
donner une importance capitale à l'information retenue. Dans ces
circonstances, celles-ci sont souvent accompagnées de messages
à peine voilés qui visent à interdire toute investigation
de la part des autres, d'efforts de métacommunication
pour diriger la communication.

Langage des rituels

Les grands secrets publics

Dans les relations interpersonnelles quotidiennes, il y a des choses qui ne sont pratiquement jamais dites mais que nul n'a le droit d'ignorer. Du moins se conduit-on comme si les choses allaient de soi. Par exemple, si ce n'est en situation de crise, ou dans des moments d'une importance peu commune, il est rare que deux individus s'assoient pour discuter de la nature de leur relation et de ses effets sur leurs comportements. C'est comme si chacun savait ce qui doit être. Notre éducation nous a rendus peu enclins à parler de nos relations et nous a même souvent laissé une certaine pudeur à ce sujet.

Si l'habileté à décrire des faits ou des personnes s'avère répandue, il faut par contre admettre que les descriptions demeurent encore là teintées par cette difficulté à fournir plus de précisions sur les rapports entretenus avec autrui. Ainsi, on pourra donner une image de son patron, de ses qualités, de ses défauts, mais là s'arrêtera ordinairement la hardiesse. Sur le type de relation qu'on a avec lui, on dira fort peu de choses. Pourtant, quand vient le temps de présenter une demande spéciale, quelque chose nous incite à nous y prendre d'une façon particulière, ou à tout le moins nous prévient des comportements à éviter. On dit qu'une image vaut mille mots; dans cette veine, il semble que l'habitude soit de clarifier ses relations sans avoir recours au langage parlé. À cet égard, on dira des relations qu'elles sont faites de grands secrets publics; ceux-ci sont connus de tous, mais ne sont presque jamais énoncés clairement.

4ᵉ mythe

La signification d'une communication réside
dans les propos échangés

*Encore une fois, limiter la signification de la communication aux
propos échangés conduit à un réductionnisme inacceptable.
Constatons plutôt que nos rituels publics, entre autres, sont une
forme de langage et l'information qu'ils véhiculent sert à mettre en
contexte les comportements qui sont alors adoptés, à leur donner
une signification. Ainsi, cette perspective nous amène à inclure le
contexte de l'échange dans la communication, et cela à titre
d'information. La chose est vraie à un point tel que l'adaptation au
contexte relève presque du réflexe dans la vie courante.*

Il se présente des occasions où, sans même qu'on y songe, les comportements requis deviennent évidents. C'est le cas des attitudes permises
lors d'une visite au funérarium. Personne n'oserait offrir au veuf ou à la
veuve ses condoléances avec désinvolture. Chacun sent la nécessité d'un
certain décorum... La provenance de ces prescriptions auxquelles on se
soumet avec empressement constitue à elle seule un sujet vaste[3]. Peu
importe, il est clair à ces moments-là que la relation exige du tact, du respect,
de la délicatesse, à tel point que si le défunt ou la défunte avait une dette
importante, elle sera alors passée sous silence. On sait que des règles existent
et, quand on y manque, les autres ont vite fait de nous le rappeler... Les
relations ne se jouent pas de n'importe quelle façon. Comme c'est le cas
d'une symphonie, chacun doit respecter sa partition. Bien que ce ne soit
ni écrit ni explicité, toute erreur de l'instrument déclenche une lutte entre
lui et l'orchestre! Les anecdotes qui précèdent convergent en démontrant
métaphoriquement l'existence de règles de la communication.

---

3. Comme notre propos n'est pas d'identifier l'origine de ces comportements, le lecteur ou la lectrice
pourra satisfaire sa curiosité en consultant les travaux du célèbre anthropologue E.T. Hall dont
notre bibliographie fait abondamment mention.

Communication et engagement

=================================== *Les évidences invisibles*

Nous devons surtout à Paul Watzlawick l'idée d'une axiomatique de la communication. Selon la pragmatique de la communication, il existerait des règles non énoncées, un code implicite qui régit nos relations interpersonnelles en ce domaine[4]. Ces propos peuvent paraître hermétiques à première vue, mais ils s'expliquent par un ensemble d'évidences dont la présence dans nos rapports quotidiens passe régulièrement inaperçue.

L'idée mise en avant par les travaux de Watzlawick[5] et de ses collaborateurs est en un sens très simple. La communication répondrait à des règles dont personne ne parle, mais que tous apprennent au fil de leurs expériences. Comme dans le cas des langues étrangères, il n'est pas nécessaire de maîtriser théoriquement la grammaire pour bien les parler. Les enfants sont une illustration frappante de ce phénomène. Dès l'âge de cinq ou six ans, un enfant parle sa langue maternelle sans avoir une connaissance explicite de la grammaire, de l'orthographe ou encore de la syntaxe. Ainsi, les règles de la communication seraient-elles apprises lentement et progressivement sans être énoncées.

L'idée qu'il existe des règles implicites conduit rapidement au désir de les formuler le plus concrètement possible. La tentation de se lancer dans une telle entreprise est compréhensible. Si la communication a des effets sur les comportements, et c'est là sa dimension pragmatique, mieux la comprendre débouche sur une plus grande compréhension de nous-mêmes, des autres et de nos rapports quotidiens. Cependant, l'examen du problème de la formulation explicite de ces règles bouscule dès le départ un mythe, celui du choix de communiquer ou non. Quand on admet que l'information relie entre elles des choses qui ne seraient pas reliées autrement, la situation devient très claire.

==

5ᵉ mythe

Le fait de communiquer ou non repose sur un choix individuel

Au contraire, la seule liberté en cette matière consiste à faire comprendre le désir de se soustraire à la communication, de réduire

---

4. Watzlawick, P. *et al.*, *Une logique de la communication*, Paris, Seuil, 1972.

5. Watzlawick s'est inspiré considérablement des travaux de Gregory Bateson.

*son engagement à son minimum. Mais toutes ces tentatives pour
manifester un refus sont des messages et peuvent prendre des
significations multiples suivant les circonstances et les individus en
cause. La démonstration de ce point de vue se révèle d'ailleurs
fort simple.*

Prenons comme point de départ de cette réflexion le comportement humain. Si quelqu'un demandait qu'on lui dresse la liste de tous les comportements possibles, une vie ne suffirait pas pour accomplir cette tâche. Inversement, serait-il possible de dresser une liste de non-comportements? Peut-on ne pas avoir de comportement? Ces questions conduisent rapidement à une conclusion: il n'existe pas de non-comportement; ne pas se comporter est impossible[6]. Voilà une constatation banale en soi, mais les effets de cette évidence sont surprenants. Car si le comportement n'a pas de contraire, quels que soient les efforts consentis, jamais on n'arrivera à ne pas se comporter.

Au-delà de cette démonstration de circonstance, il est permis d'anticiper que communication et comportement risquent de devenir synonymes. L'idée d'un tel rapprochement est largement utilisée par les personnes qui sont familières avec les travaux de Watzlawick. Or la prudence s'impose. Nous verrons que le terme «comportement» prendra un sens très large, mais pour l'instant, tenons-nous-en strictement au sens habituel pour illustrer l'étendue de l'impossibilité de ne pas se comporter. Elle est une porte ouverte sur bien d'autres modes de communication, sur bien d'autres langages.

Imaginons un instant un voyageur qui prend le métro. Perdu dans la cohue, il s'installe sur une banquette. Une fois assis, il se contente de regarder le paysage défiler par la vitre. Dans ces conditions, l'individu se percevra comme isolé, coupé de la foule, sans communication avec les autres. Pourtant, sa seule présence suffit à rendre clair un message: cette banquette est occupée. Malgré le silence qu'il maintient, pour quiconque monte dans le wagon le message est clair. La volonté du voyageur n'entre pas en cause, son comportement est une information pour les autres, le choix n'existe pas.

On peut faire le pari que personne ne viendra s'asseoir sur ses genoux[7]. Et si quelqu'un prend place à ses côtés, désireux d'entreprendre la conver-

---

6. Watzlawick, P. *et al.*, *op. cit.*

7. Notons au passage que cette situation prévaut chez nous, mais il existe des cultures où l'espace public reste toujours public. Dans l'exemple proposé, une fois que nous l'occupons, il devient un espace privé.

sation, toute absence de réaction à des efforts en ce sens sera interprétée comme un refus. Dans ce cas, l'indifférence dit tout. Nul n'a de contrôle sur sa participation à la communication, on ne peut pas ne pas communiquer. Les comportements sont information pour autrui, ils ont valeur de message.

Présenté en ces termes, le problème du choix de communiquer ou non devient absurde. Pourtant, bien des individus croient parvenir à ne pas communiquer du simple fait qu'ils cessent de parler; rien n'est plus illusoire. En vérité, le langage parlé n'est qu'une infime partie de la communication. La gestion de l'espace qui nous entoure, par exemple la disposition de notre bureau, ou encore **notre manière de fuir le** regard des inconnus que nous **croisons, tous ces comportements font partie de** la communication. Parler **n'est qu'un moyen de** transmettre un message[8] **auquel tous nos** comportements contribuent, de même que l'environnement dans lequel nous **nous** trouvons.

Pour saisir toute la portée de l'énoncé, il faut écarter une vision trop répandue du libre arbitre. En matière de comportement humain, il n'y a aucun choix; pour l'autre, il y a toujours un comportement disponible! Même une présence discrète se prête à une interprétation par les autres qui lui donnent un sens: être là, auprès de quelqu'un d'autre, c'est signifier quelque chose pour lui dès le début. À cet égard, le phénomène échappe à tout contrôle.

De l'énoncé «on ne peut pas ne pas communiquer» Watzlawick fait son premier axiome, le point de départ d'une théorie de la communication. Pour en résumer l'essentiel, retenons les aspects évoqués par l'équation présentée ci-dessous et l'idée que, bon gré mal gré, nous participons à la communication.

$$\text{Communication} = \text{comportements} + \text{relation} + \text{contexte}$$

Cette équation sera à l'arrière-plan de notre étude des relations interpersonnelles quotidiennes. Elle signifie que la communication se compose au départ de comportements, d'une relation et d'un contexte. La relation,

---

8. Cependant, le message peut se révéler paradoxal.

on le sait maintenant, sert à préciser la façon de recevoir le comportement en tant qu'information; à ce titre, elle est une métacommunication. Ainsi, chaque individu est perpétuellement en échange d'informations avec ceux qui l'entourent et les relations qui les unissent servent à préciser la façon d'interpréter les comportements. Ainsi, nous comprenons en partie pourquoi, lorsque quelqu'un nous envoie promener, la signification du message peut varier. Quand la relation est mauvaise, le comportement en tant que message prend une autre coloration. À cela s'ajoute le fait que la communication n'est jamais interrompue.

Ainsi réduits à la communication éternelle, notre problème n'est plus alors de choisir ou non de communiquer. Chacun se retrouve dans une situation où c'est l'autre qui donne une signification à sa présence, à ses comportements. Aucun contrôle ne peut s'exercer sur ce phénomène. Peu importent les efforts en ce sens, nous l'avons vu, ne rien faire c'est déjà se comporter, l'être humain est forcé de communiquer. Puisque la relation indique la façon de recevoir le comportement, on notera que celle-ci est d'un autre niveau, qu'elle englobe le comportement. Ces deux éléments composent le message, le comportement étant du niveau de l'indice et la relation de celui de l'ordre[9].

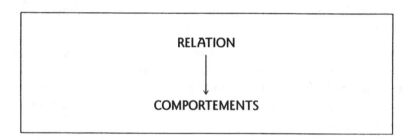

Omniprésence de l'information
Nous ne nous parlons plus depuis 10 ans!

Si ne pas avoir de comportement tient de l'impossible et que, quoi qu'on fasse, les autres donnent toujours un sens à notre présence, peut-on du moins couper la relation? On peut croire qu'il est possible d'y parvenir. Certains événements marquent la vie de quelqu'un et transforment un ami

---

9.   Voir à cet effet Watzlawick, P. *et al.*, *op. cit.*

en un ennemi. Quand une personne abuse de la confiance d'une autre personne ou lui refuse son aide dans l'épreuve, il arrive que celle-ci coupe les ponts. À ceux et celles qui l'interrogent sur ses rapports avec cet ex-ami, elle dira qu'ils ne se parlent plus depuis longtemps, espérant ainsi que toute relation est terminée. Toutefois, cet espoir demeure une illusion. La relation entre ces deux personnes est au contraire toujours présente, et même on ne peut plus claire! L'absence d'échanges apparents ne règle rien.

6e mythe

Le refus de communiquer met fin à la relation et, conséquemment, à la communication

Au contraire, ce refus de communiquer qu'on tente de rendre évident au moyen de tous les comportements adoptés n'atteint pas cette fin. Il contribue tout au plus à changer ou à maintenir la nature d'une relation et devient un message des plus clairs!

Il ne revient pas à l'un des partenaires d'une relation de choisir que l'autre tienne compte de sa présence ou non. Dès que l'ennemi apparaît dans le décor, ils communiquent! L'attitude d'ignorance ou d'indifférence que l'un affiche envers l'autre est une répétition continuelle du même message: je ne te parle plus. L'impression de ne plus communiquer provient alors de la monotonie du message. Quand, par exemple, une dispute conduit les partenaires d'un couple à désirer ne plus se parler, la bouderie qui suit leur querelle est souvent aussi difficile à supporter que le conflit. Il est pénible pour chacun de rester dans l'entourage de l'autre sans rien dire, sans le regarder. Cette guerre du silence devient vite très éloquente, elle réaffirme l'effet de la querelle. La relation persiste au-delà du langage parlé, la communication dépasse cette forme de langage. Le désir que les conjoints éprouvent parfois d'être ailleurs après de tels événements le confirme. Les comportements, la présence parlent!

Dans ces circonstances, le désagrément vient de la clarté[10] de la communication, de la poursuite de la relation de conflit. Se bouder, c'est con-

---

10. Nous aurons l'occasion de voir que la clarté est davantage une caractéristique de la communication que du niveau d'intention des participants. Ces derniers sont plutôt affectés par ses effets, l'idée d'une communication comprise étant d'un tout autre ordre.

tinuer l'affrontement. Chacun comprend fort bien le message, et si les regards se croisent au hasard des déplacements dans la pièce, le réflexe de ces personnes sera parfois de détourner les yeux; c'est une autre façon de réaffirmer que les hostilités ne sont pas terminées. Sans vouloir jouer sur les mots, communiquer un refus de la communication, c'est la maintenir, l'alimenter.

Ainsi, communiquer ne permet pas de choix. De cette démonstration nous pouvons aussi conclure à la relativité de l'énoncé voulant que la relation englobe le comportement. Pour rendre compte de la situation sans trop élaborer la question, suivant le point de vue adopté par l'analyste, le comportement sert également à construire, à transformer la relation. Aussi, la représentation la plus adéquate rendrait compte de la nuance, du fait que les comportements en présence peuvent servir à indiquer comment recevoir la relation. Cette nuance tient à la ponctuation des événements – nous reviendrons sur cet aspect –; comportements et relation s'englobent réciproquement.

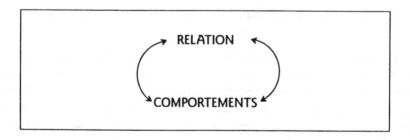

Émetteur et récepteur, sans alternance

Le sourd-muet miraculé

Plusieurs idées toutes faites sur la communication viennent d'une représentation télégraphique de la dynamique des relations interpersonnelles. Ainsi croit-on naïvement, parfois, que nos rôles d'émetteur et de récepteur alternent. Cette façon de se percevoir dans les relations interpersonnelles fait apparaître de drôles de personnages qui deviennent sourds lorsqu'ils parlent et muets quand ils écoutent. Du moins, la croyance populaire le veut ainsi. Or cette image est totalement erronée. En vérité, les partenaires jouent toujours les deux rôles simultanément. Dès qu'on parle à quelqu'un, tous les sens deviennent à l'affût de ses moindres réactions, et si par hasard l'un des interlocuteurs regarde le plafond en soupirant, il se peut que la colère ou l'indignation monte rapidement chez l'autre.

7ᵉ mythe

Durant une communication, l'information circule selon le principe du balancier

Nous perdons souvent de vue le fait que durant une communication nous «baignons» dans l'information. Dans ce contexte, les rôles d'émetteur et de récepteur se confondent car il n'y a pas de coupure véritable. Les bons conférenciers ou les artistes sont fort conscients de ce phénomène: quand on les interroge sur leur succès, ils disent tous qu'il faut sentir son public, s'y adapter. Pourtant, ils paraissent jouer le rôle d'émetteur, et cela d'une façon privilégiée. Leur attitude à cet égard confirme la confusion des rôles: il n'y a pas d'alternance.

Un père consciencieux discute avec son fils, un adolescent âgé de 17 ans. Appartenant à la vieille école, dira-t-on, le père s'objecte aux jeux de l'amour hors du mariage. Les arguments défilent, la discussion s'anime et le père se lance dans un plaidoyer moral. Le fils lève les yeux au ciel en soupirant. La colère gronde, car cette simple réaction du jeune homme équivaut à un message inacceptable: «Non je ne radote pas, non je ne suis pas vieux jeu, dépassé ou borné!» Ces situations sont le lot du quotidien. Sans prononcer un seul mot, le fils a tout dit. Même les situations banales sont lourdes de signification.

Un homme entre dans un ascenseur; une femme s'y trouve déjà. Elle occupe une partie de l'espace, alors l'homme se dirige vers le coin opposé. Cela fait, tout est dit. L'homme n'ira pas se placer tout à côté de la femme, au point de la toucher, ou encore en face d'elle pour ensuite plonger son regard dans le sien! Ils sont des étrangers. La distance qu'il prend par rapport à elle confirme cette relation. Les comportements sont des discours, ils parlent: tout n'est pas permis dans cet ascenseur. L'utilisation de l'espace est une forme de langage[11], un rituel significatif. Nous sommes des miraculés, jamais sourds ni muets, toujours à la fois émetteurs et récepteurs d'infor-

---

11. Les travaux d'Edward T. Hall sont très éloquents à ce sujet.

mation. Si ce n'était pas le cas, quelle utilité y aurait-il à bouder lors d'une dispute ? Chacun sait que la bouderie est un message très clair ; nous refusons régulièrement le droit à nos enfants d'agir ainsi à notre égard !

Échec à la non-communication
La subtile vengeance du silence

Le silence est d'or, la parole est d'argent. Du moins, c'est ce qu'on en dit. Quand on réduit la communication au minimum par le respect du silence le plus complet, c'est souvent pour rendre évident un message. Comme il est impossible de couper la relation et de faire disparaître l'autre, on ne lui adresse plus la parole et il fait de même. On bloque la relation par l'émission continue du même message, une stratégie fort populaire auprès des télé-diffuseurs qui se résume par l'expression « n'ajustez pas votre appareil, nous éprouvons actuellement des problèmes temporaires de diffusion ». Dans le quotidien, ce petit jeu subtil du silence outragé peut servir à manifester la colère, l'agressivité, le rejet de l'autre, le refus de ses idées, bref une foule de choses, y compris l'ennui. C'est la subtile vengeance du silence, une stratégie qui manifeste le refus d'une influence. On veille ainsi à ce que la situation soit désagréable pour décourager l'importun ou pour rendre impossible une relation non désirée en la maintenant dans son état actuel.

Ainsi, quand, au fil de son pèlerinage dans un grand magasin, un individu aperçoit quelqu'un dont il ne veut pas s'embarrasser, il regarde ailleurs[12]. Il le croisera sans le saluer s'il ne peut l'éviter, en espérant que l'autre agira de même. Et si par bonheur la chose est possible, il modifiera même sa direction pour éviter la rencontre. Si l'autre constate la manœuvre, tout est clair. C'est la subtile vengeance du silence encore une fois, lequel parle au moyen de l'ensemble des attitudes qui l'accompagnent. Voilà comment le comportement est information, ce qui constitue un point central dans cet ouvrage.

8ᵉ mythe

En matière de communication,
il faut se parler pour se comprendre

*L'anecdote du pèlerinage dans un grand magasin illustre à quel
point se parler n'est pas une condition essentielle pour se*

---

12. Ce n'est là qu'une des adaptations possibles.

comprendre. Il y a au contraire des situations où l'usage du langage
est superflu car le comportement général est lui-même à ces
moments un message suffisant et clair. Toutefois, de ces réflexions à
propos du langage parlé il ne faudrait pas conclure que
l'information créée dans le système de communication par les
comportements est entièrement absorbée et utilisée par les autres.
Ce serait verser dans l'abus contraire. Il faut plutôt convenir
de l'existence d'une multitude de langages qui s'entrecroisent,
se complètent ou peuvent se contredire.

Les attitudes adoptées, les façons d'utiliser l'espace environnant, tout est communication. Mais il y a des brèches. Certes, on ne peut se soustraire au fait que tout est communication. Or, rien ne dit que les autres capteront et utiliseront toute l'information disponible, car ils ont appris à sélectionner ; aussi, nous devrons réapprendre à regarder ailleurs pour élargir nos horizons ! Pour l'essentiel, retenons qu'au fil des rapports interpersonnels quotidiens, chacun se livre à une valse élégante, celle de la négociation de sa place dans cet univers singulier qui est en même temps un royaume et une prison. Prince à la fois adulé et déchu, l'humain domine la communication et est dominé par elle ; il voit émerger d'elle successivement ses réalités et celles des autres, il voit se croiser et s'affronter des croyances, des mythes et des émotions. Le silence est communication et, comme on ne peut y échapper, aussi bien en tirer parti.

Communication et culture
J'ai besoin d'intimité

L'idée de l'intimité à laquelle tout Québécois se rattache implique automatiquement un isolement physique plus ou moins complet. À ses yeux, la solitude perd pratiquement son sens en présence d'autrui. Pour être seul, il se retire en des lieux particuliers, dans sa chambre ou son bureau, et il ne lui vient pas à l'esprit qu'un isolement serait possible sans des circonstances qui le favorisent. Or cette conception de l'intimité et de la solitude révèle des rituels interpersonnels reliés à une culture particulière. Par exemple, pour s'isoler, l'Arabe se tait, l'Allemand s'abrite des regards, l'Américain se rend dans une pièce et ferme la porte et l'Anglais utilise un ensemble de barrières psychiques[13]. Pour chacun le comportement paraît clair, ce qui donne parfois lieu à des situations cocasses.

> *Mais l'Anglais qui, depuis l'enfance, n'a jamais eu de pièce à lui n'a pas appris à utiliser l'espace pour se protéger des autres. Il dispose d'un ensemble de barrières intérieures, de nature psychique, que les autres sont censés reconnaître lorsqu'il les fait fonctionner. Ainsi, plus l'Anglais se barricade en présence d'un Américain, plus grand est le risque que celui-ci fasse irruption pour s'assurer que tout va bien[14].*

9ᵉ mythe

Nous communiquons sur une base commune

L'exemple ci-haut qui montre comment Anglais et Américains peuvent se mal comprendre nous permet d'attaquer un autre mythe: celui d'une communication qui se déroulerait dans un contexte où les participants auraient une base commune d'interprétation. Nous aimerions signaler à ce propos non seulement que les différences culturelles interviennent, mais encore que les différentes expériences de vie de chacun viennent s'ajouter au contexte d'échange d'information, ce qui fait de la communication un phénomène global. Cet aspect de l'interaction donne un sens particulier aux propos que nous avons empruntés à Hall en ce qui concerne les définitions culturelles de l'intimité.

Cette insistance sur l'existence d'incompatibilités entre certaines définitions culturelles de l'intimité traduit un désir de mettre en évidence le caractère global de la communication. En termes simples, toute communication dépasse et englobe les comportements des participants qui sont en cause. L'espace, comme langage culturel, n'est qu'un exemple parmi d'autres de communication. Le langage parlé comme celui de l'espace sont à ce titre des indices qui révèlent notre mythologie de la communication. Dans ce contexte, une définition de la communication, comme celle proposée par Layole, ne pourrait suffire sans qu'on l'accompagne de quelques précisions.

---

13. Hall, E.T., *La Dimension cachée*, Paris, Seuil, 1971, p. 172.
14. *Ibid.*

> (...) *en matière de communication, on ne fera pas de suppositions explicatives: la communication, c'est tout le comportement et rien que le comportement*[15].

Pour qu'une telle définition devienne valable, il faut absolument que le mot «comportement» signifie plus que quelque chose de plus ou moins abstrait, qui se rapporte à l'individu; tout le culturel doit y être inclus, autant l'environnement physique que la signification qui pourrait se rattacher pour les participants aux titres de directeur général, médecin, éboueur ou fonctionnaire. Lorsque Layole parle de comportement global, il inclut le langage parlé, les mimiques, la gestuelle, l'attitude, les manifestations involontaires, l'image et le contexte environnemental. Retenons-en l'essentiel: la communication dépasse nettement le simple comportement humain, et certaines habitudes de vie le démontrent. Nous brassons des affaires sur le terrain de golf, mais rarement dans une salle de cinéma.

Dans les pages qui suivent, nous ouvrons donc la porte de cet univers de la communication. Grâce à l'étude des relations interpersonnelles quotidiennes, nous espérons mettre en évidence des phénomènes qui restent souvent cachés derrière les événements. Condamné à communiquer, dans un univers où les réalités apparaissent, se transforment et changent au fil des jours, l'être humain est un vendeur de réalités qui négocie continuellement les conditions de son existence. Et si nos querelles nous paraissent souvent bien enfantines et la conduite des autres fort curieuse, elles ne sont pas moins des ingrédients qui nous donnent ce sentiment d'exister et de vivre. Si l'expérience est le seul bien de cette société de consommation que nul ne peut acheter à crédit, nous savons au moins que tout le monde en possède. Sur cette base, nous partons tous sensiblement du même point pour l'étude du quotidien.

Communication et subjectivité
—————————————————— *La création eut-elle lieu en vers ou en prose?*

Qui ne se souvient de la surprise du Bourgeois Gentilhomme qui s'émerveillait de son aisance à faire de la prose? Instruit de la distinction entre les vers et la prose, il s'émouvait de son talent et des bienfaits de la culture, ravi de s'être abandonné à la prose jusqu'à ce jour sans le savoir. Cet effet de la connaissance sur le comportement humain, présenté par Molière avec

---

15. Layole, G., *Dénouer les conflits professionnels, l'intervention paradoxale*, Paris, Éditions d'Organisation, 1984, p. 29.

humour, porte à rire encore aujourd'hui. Si Molière était encore parmi nous, nous l'inspirerions.

Naïvement, chacun adopte à l'occasion cette attachante attitude du Bourgeois Gentilhomme quand l'acquisition de connaissances ou les progrès technologiques donnent l'impression que le monde change. Eh oui, certains regardent par-dessus leur épaule, et le boum technologique les impressionne. Du point de vue technique, convenons-en, il y a matière à surprise. L'automobile est à peu près centenaire et déjà la Lune montre les traces du pas de l'être humain... qui y a même laissé quelques rebuts. Or la question se pose : le monde change-t-il à ce point ou est-ce plutôt de la perception que nous en avons que nous tentons de rendre compte quand, subjugués, nous parlons d'évolution?

Plus encore, cette question ne reflète-t-elle pas le subtil rituel humain qui préside à la création de ce que nous appelons si familièrement la réalité, le réel? Quand on y songe, ce dilemme rappelle la fragilité de nos vérités. Avant l'apparition de l'automobile, on se préoccupait davantage de l'écurie que du problème du stationnement. Or, maintenant, la rareté des espaces disponibles pour se garer a fait oublier le noble étalon qui trouve difficilement sa place parmi tous ces chevaux-vapeur hurlants qui sillonnent les tapis d'asphalte... L'être humain transforme son environnement, lequel lui dicte en retour de nouvelles obligations. Peut-être serait-il plus juste de dire que le monde change quand nous changeons; notre évolution symboliserait alors une recherche d'équilibre, d'adaptation, une soif de certitude.

> De toutes les illusions la plus périlleuse consiste à penser qu'il n'existe qu'une seule réalité. En fait, ce qui existe ce ne sont que différentes versions de celle-ci dont certaines peuvent être contradictoires, et qui sont toutes des effets de la communication, non le reflet de vérités objectives et éternelles[16].

Il en va de même de tout propos sur la communication. Devant les idées que nous avançons dans cet ouvrage, certains auront peut-être l'impression que nous prétendons à la vérité. Pourtant, celui-ci ne renferme rien de révolutionnaire, si ce n'est qu'il nous invite à regarder le quotidien en nous tenant debout derrière nous-mêmes. «Quatre-vingts degrés Fahrenheit, c'est quoi en Celsius, papa?» Il s'agit d'une quête de conscience dont les effets risquent de surprendre. En somme, un problème n'existe que si quelqu'un le pose...

---

16. Watzlawick, P., *La Réalité de la réalité, confusion, désinformation, communication*, Paris, Seuil, 1978, p. 7.

10ᵉ mythe

En matière de communication humaine, l'objectivité est possible

Dans le feu de la discussion, certains diront parfois « soyons sérieux », ou « considérons les choses froidement », ou, plus sobrement encore, « soyons objectifs ». Du parler populaire au langage scientifique s'exprime le souhait de rendre compte honnêtement d'une réalité objective qui existerait en dehors de nous. Or, même en science il a été nécessaire que des experts statuent sur ce qu'est la science et, par la suite, sur ce qu'est un discours scientifique pour qu'un jugement puisse être porté. Plus près de nous, dans le quotidien, ces appels pour rendre compte objectivement du réel reflètent l'intuition que nous avons de la multiplicité des avis de chacun et non de règles qui pourraient conduire à une vérité éternelle. Au fond, en matière de communication humaine, la subjectivité des participants est une donnée de base, quel que soit le statut des personnes qui sont en cause.

Communication et versions du réel
Colporteurs de réalités !

Une théorie est un jeu de l'esprit qui, sur la base d'une métaphore, permet d'ordonner une perception de l'environnement. Credo de ses défenseurs, elle oriente le choix des événements en fonction de critères de sélection préétablis. Comme Einstein l'énonçait, c'est la théorie qui décide de ce que nous sommes en mesure d'observer. Or la foi peut transporter des montagnes, y compris celle constituée des preuves et contre-preuves qui normalement remettraient en cause les dogmes les plus fragiles ou même les plus forts.

> (...) *notre idée quotidienne, conventionnelle, de la réalité est une illusion que nous passons une partie substantielle de notre vie à étayer, fût-ce au risque considérable de plier les faits à notre propre définition du réel, au lieu d'adopter la démarche inverse*[17].

17. Watzlawick, P., *op. cit.*

Médecin, acupuncteur, représentant syndical, consultant en développement organisationnel ou conseiller matrimonial, chacun traite selon sa foi. Il revient au patient d'éprouver la justesse des croyances de ces derniers, et les sceptiques s'excluent eux-mêmes ou errent d'un spécialiste à l'autre, en quête de plénitude. Le drame des connaissances réside en ce qu'elles s'accompagnent souvent d'une douce impression de se rapprocher de la vérité et que les limites de la discipline, au lieu de mettre en garde l'expert, deviennent des symboles du caractère hautement spécialisé de la compétence. Ainsi les mythes peuvent-ils survivre car, de droit, seul un dieu peut s'en prendre à un autre... Les effets de cette situation sur le patient ne sont pas moins graves.

Comme les limites d'une spécialité la protègent contre les remises en question sérieuses, l'expert[18] développe un sentiment de confiance dont la réciproque se résume en une soumission du patient qui abandonne son âme à ces mains rassurantes. Dans *Le Médecin malgré lui*, de Molière encore, la caricature frappe de plein fouet. Plus près de nous mais avec moins d'humour, nos systèmes de santé rappellent quotidiennement ce fait. Aux yeux du profane, quand un problème apparaît, le doute n'a pas sa place. Le médecin doit savoir, pour le patient il n'y a pas d'autre possibilité. Comme La Fontaine le disait de la peste, tous n'en meurent point mais tous en sont atteints.

Peu importe le domaine de la science qui est en cause, des vérités contradictoires cohabitent. Actuellement, il reste difficile de trancher la question de savoir si l'électron est une particule ou une onde. Il serait plus acceptable qu'il ne soit pas les deux à la fois[19]. Mais les expériences les plus poussées permettent de soutenir les deux thèses: quel heureux débat! Dure révélation pour les fidèles? Certes pas, le jargon professionnel, les revues spécialisées, les colloques de pointe contribuent à les éloigner de l'église, seuls les grands initiés sont à jour sur cette question. De plus, n'allons pas croire que cette situation est exclusivement réservée au monde des scientifiques. Dans le «concret» du neuf à cinq, tous ont leur credo. Encore ici, certains sont contradictoires, les dictons le rappellent constamment: qui se ressemble s'assemble, les contraires s'attirent, qui ne dit mot consent, alors que le silence est d'or et la parole est d'argent... Il serait aisé de dresser une liste de ces contradictions qui pimentent le quotidien. Elles prennent la

---

18. Il n'en va pas ici de la bonne foi de l'expert qui, trop souvent au contraire, déplore cette situation quand on le prend isolément. Cela ne l'empêche toutefois pas de bâtir sa confiance sur sa capacité de dominer son champ.

19. Du moins le croit-on... Devrions-nous plutôt y découvrir nos propres limites?

forme de règles absolues qui heureusement s'appliquent avec discernement, comme si leur présence servait à rassurer, et non à guider aveuglément la conduite. Or, elles ne sont que la pointe de l'iceberg, de subtiles expressions de l'incertitude, des manifestations de la relativité de ces croyances et de ces vérités. L'être humain est un colporteur, un vendeur de réalités, un prophète à la recherche de fidèles qui concrétiseront ses certitudes par leur attachement indéfectible. En matière de communication humaine, les exemples sont légion.

Parmi les exemples les plus évidents de cet entêtement[20] à vendre des réalités, on peut évoquer les discours sans fin engendrés par le militantisme politique, par la partisanerie sportive ou encore par les principes d'éducation des enfants ou même de gestion des ressources humaines. Plus près de la vie quotidienne des Québécois, force est de constater, un jour ou l'autre, que rien ne peut ternir un réveillon de Noël autant qu'une chaude discussion sur la politique, sur le sport ou sur l'éducation des enfants. En ces domaines, la susceptibilité québécoise supporte mal les différences; hors de l'Église point de salut! Chacun se persuade par la force de ses raisonnements et de ses arguments; pourtant cet entêtement n'a d'égal que la fragilité de ces vérités.

Les Québécois ne sont pas les seuls passagers de cette galère. Le football a déjà provoqué des émeutes sanglantes en Angleterre, le base-ball a ses effets et l'antisémitisme a eu les siens. Le sujet du litige change, mais le fond reste le même. La guerre des vérités persiste, seule la gravité du problème varie. Qui n'est pas pour moi est contre moi et, par conséquent, vit dans l'erreur. Rappelons seulement qu'il y eut un temps où la femme n'avait ni âme, ni droit de vote, tandis que récemment Mme Thatcher a mené ses fils jusqu'à la guerre des Falkland. Quel geste incroyable de la part d'une «faible» femme! Que sont devenus l'instinct maternel et la femme au foyer? Car plus les croyances sont ancrées profondément, moins elles supportent le changement[21]. Dans ce contexte, il est approprié de voir la communication humaine comme une situation de négociation du réel.

---

20. Nous évoquons le déroulement du phénomène et non la conscience que nous pourrions en avoir.
21. Voir la discussion de la distinction entre contexte riche et contexte pauvre, E.T. Hall, *Au-delà de la culture*, Paris, Seuil, 1979, pp. 105-116.

===

11ᵉ mythe

La communication est un discours sur le réel

*Au moyen de tous ces exemples dont nous avons fait mention, nous
souhaiterions surtout mettre un point de vue en perspective. La
danse quotidienne de la communication rend compte d'un processus
par lequel les participants contribuent à l'édification du réel, et le
fait que des points de vue dominent ne constitue pas une
démonstration de leur valeur. En fait, la communication, à l'échelle
d'une société, est un processus complexe qui conduit à une version
du réel dont les racines et les fondements sont à la fois spatio-
temporels et profondément marqués par la culture
des individus concernés.*

===

Communication et négociation
=== *La négociation de la réalité quotidienne*

Tout individu colporte, à son insu parfois, des mythes et des vérités. Ces
croyances sont sacrées à ses yeux; dans ses relations quotidiennes, il en
exige le respect. L'avortement doit-il être légalisé? La prostitution doit-elle
être bannie, les bagarres doivent-elles être exclues du sport organisé, le
virage technologique est-il souhaitable? La liste des questions pourrait
s'allonger. Les opinions sur ces sujets délicats reposent sur des convictions
difficilement modifiables, du moins le dit-on[22]. Même le travail quotidien
devient une épreuve quand vient le temps de fonctionner en équipe. Quiconque a fait partie de comités ou de groupes de travail le sait: alors débutent
les luttes, les guerres de vérités, dont celles sur les façons de procéder.
Chacun a sa méthode, et c'est à l'autre de s'adapter. Ces frictions interpersonnelles ont une signification particulière.

Nous avons établi que le comportement est message. Il est pour les
autres information, plus exactement nous sommes information. Dans le flot
de la communication, des frictions interpersonnelles sans cesse répétées
révèlent une lutte continue de chacun contre tous pour imposer sa loi, sa

---

22. Habituellement, on relie ces convictions à des valeurs qui seraient relativement immuables.

foi. Et les discussions qui entourent ces affrontements parfois à peine dissimulés sont autant de tentatives pour imposer une version du réel, une vision de la façon dont les choses doivent être[23]. Trop attentifs au discours, nous oublions ou ignorons dans le feu de l'action que le jeu concerne la relation plus que le contenu. La conviction de l'existence d'une réalité objective en dehors de nous naît peut-être de l'insuccès des efforts déployés pour dominer les autres, ou de la difficulté de les contraindre à adopter notre version du réel. Le monde est peuplé de vendeurs de réalités en mal de clientèles. Et à ce titre, le fait d'avoir raison compte souvent davantage que le sujet de discussion. Cette affirmation mérite quelques explications...

Quand, dans un couple, une dispute exaspère les partenaires, on assiste alors à un phénomène intéressant. Au départ, les arguments ont un sens, une pertinence et, vue de l'extérieur, la situation paraît peu dramatique. Pourtant, quand on y regarde de près, on peut constater après un certain temps que le sujet du litige passe à l'arrière-plan ou reste en suspens. Le débat se déplace du contenu à la relation. Le sujet devient le prétexte pour une renégociation de la nature de la relation en cause et se résume souvent à déterminer qui aura le dernier mot pour démontrer sa dominance. Ce curieux rituel s'enclenche quand il devient clair pour chacun des partenaires que jamais l'autre ne cédera sur le sujet. Si le couple est solide, il y aura par la suite un temps mort et l'un des partenaires posera le geste de réconciliation qui amorcera le rituel de rapprochement. Personne ne paraît alors capituler. Or les deux ont cédé en acceptant une redéfinition de la relation en cours.

Nous aurons l'occasion de revenir sur ce point, les relations interpersonnelles font régulièrement l'objet d'une renégociation pas toujours si discrète. Les disputes de couples autant que les renouvellements de conventions collectives sont le théâtre de la renégociation le mieux connu, même si le phénomène demeure plus apparent et même caricatural dans les relations parents-adolescent. Ce qu'on appelle si affectueusement la crise d'adolescence, cette expérience qui fait sourire une fois passée, correspond à une période où se déroulent les affrontements sur la pertinence de la définition en vigueur d'une relation adulte-adulte. Elle polarise énergies et émotions, donne lieu à des escalades dignes des plus belles tragi-comédies, et pourtant cette période ponctuée de péripéties se résume à une quête d'autonomie qui se heurte au mur de l'autorité de la mère ou du père

---

23. Nous parlons ici de la façon dont les choses se passent et non du pourquoi. À cet égard, que les phénomènes évoqués impliquent conscience et volonté, cela nous importe peu pour l'instant.

éducateur. On criera «tu leur donnes un pouce et ils prennent un pied», alors qu'au fond, l'autonomie ça ne se donne pas, ça se prend.

12ᵉ mythe

Communiquer, c'est échanger de l'information

En fait, la communication dépasse toujours le simple échange d'information. Watzlawick affirmait qu'on communique pour se définir, qu'il s'agit d'une certaine manière d'une recherche d'identité dont on espère la confirmation par les autres. Au-delà de cette possibilité, nous sommes portés à proposer que communiquer, c'est non seulement contribuer à l'édification d'une réalité, mais encore promouvoir des conséquences qui y seraient associées. Dans ce contexte, écrire un article scientifique, prononcer un diagnostic médical ou donner une opinion sur une équipe sportive ou sur un parti politique, c'est revendiquer un statut d'expert[24]. Les relations interpersonnelles abondent de situations qui illustrent cet aspect.

Communication et objectivité
========================== *À la recherche de preuves*

Pour bien des individus, le caractère concret de la réalité sociale ne fait aucun doute. Elle existe, en dehors de nous, et le neuf à cinq quotidien en serait une preuve indiscutable. Pourtant tout fut inventé[25], de l'argent à l'impôt sur le revenu, de l'école jusqu'aux lois, l'Assemblée nationale est là pour nous rappeler constamment ce fait. Si la conviction d'avoir les deux pieds sur terre risque d'être fondée, rien n'est si sûr en ce qui concerne le caractère objectif de la réalité sociale. Aussi, pour d'autres y a-t-il des nuances.

Pour les sceptiques, la réalité sociale prend forme, en dehors de nous, créée par l'interaction des subjectivités. Complexe mixture de mythes et de croyances, la nature tangible de ce réel refléterait le produit des rapports

---

24. Cette règle s'applique autant au rôle d'auteurs que nous assumons qu'aux propos que nous tenons dans ce contexte.

25. Voir à ce sujet Watzlawick, P., *L'Invention de la réalité, contributions au constructivisme*, Paris, Seuil, 1988.

interpersonnels, bref, l'impression serait maintenue par nos propres croyances. Cette réalité serait mouvante, soumise aux vents de nos doutes et de nos certitudes, sujette à de profondes et soudaines transformations. En quelque sorte, elle serait, à l'image des gigantesques organigrammes des grandes entreprises, loin de représenter le quotidien.

Les personnes qui ont une certaine expérience du travail le savent, l'organigramme d'une entreprise décrit comment les choses sont censées se passer dans l'organisation[26]. À la vérité, dès qu'on demeure un certain temps sur les lieux, on découvre que l'efficacité d'un employé dépend en bonne partie de sa capacité à apprendre comment les gens fonctionnent entre eux; c'est comme s'il existait une organisation secrète dans l'organisation. Tout nouvel arrivant fait l'expérience de cette situation. Cette réalité sociale objective dont on parle régulièrement rappelle la gélatine: dès qu'on pense la tenir entre nos mains, elle nous glisse entre les doigts! Nous n'avons pas à en rougir, le débat est vieux comme le monde.

Les querelles philosophiques sur l'objectivité de la réalité sociale ne manquent pas[27]. Sociologie, physique, philosophie, toutes ces disciplines vivent cette incertitude. Plus encore, chaque démonstration des protagonistes génère de nouvelles escalades dont les limites reculent *ad infinitum*. Aussi vaut-il mieux ne pas jeter d'huile sur le feu. Ignorons pour l'instant ces luttes et poursuivons cette réflexion sur la base d'un credo renouvelé: nous négocions sans cesse la réalité sociale entre nous, au fil de nos rapports quotidiens; nous sommes des vendeurs de réalités, des créateurs de mythes. Car, pour étudier la manière dont les choses se passent entre nous avec en arrière-plan la communication, il importe peu de statuer sur l'ontologie. Ce sont les effets du débat, les rituels qui le pimentent, le jeu des guerriers qui deviennent fascinants.

═══════════════════════════════

13ᵉ mythe

Étudier la communication suppose une préoccupation majeure pour son contenu

Ainsi, à notre manière, proposons-nous une autre avenue. Nous laissons de côté les problèmes de transmission de l'information pour

---

26. Watzlawick, P., *La Réalité de la réalité, confusion, désinformation, communication, op. cit.*
27. Burrell, G. et Morgan, G., *Sociological Paradigms and Organizational Analysis*, Londres, Heinemann, 1979.

*porter notre attention sur les effets de la communication, ses rituels
et le jeu des acteurs. Voilà une autre façon de décrire notre
orientation pragmatique, qui elle nous éloigne des travaux inspirés
par le modèle de Shannon[28].*

Communication et création d'un réel négocié

========================== *Variations sur un thème de La Fontaine :
la brebis dévora le loup et se délecta au dessert du berger*

Ce sont toujours les meilleurs qui partent mais, fort heureusement, personne n'est indispensable. Subtilement, certains comportements contribuent à maintenir l'impression de la nécessaire présence des experts. Dès que la chance se présente et qu'on déniche une personne apte à régler un type de problèmes, on lui délègue cette responsabilité. Si elle s'en acquitte bien, on lui donnera de nouvelles tâches, des promotions, souvent même en trop grand nombre. Cet extrémisme notoire envers les experts met en lumière la façon dont on contribue à l'édification de ce réel en apparence hors de contrôle. On constate les effets de cette attitude en matière de relations du travail, un domaine pourtant perçu comme fort délicat.

Les rapports collectifs organisés sont au Québec un phénomène social relativement nouveau dont l'origine ne se perd pas dans la nuit des temps[29]. Déjà, pourtant, ils ont été élevés au rang d'univers complexe. Cette complexité relève de comportements qui ont favorisé la création d'une réalité sociale aujourd'hui devenue une chasse gardée.

Décrivons froidement la situation. La négociation collective est devenue une chasse gardée; ne négocie pas qui veut. Le néophyte n'ose plus s'en mêler de peur de s'en mordre les doigts. L'impression qu'il a de son ignorance et de son incompétence va de pair avec la présence d'experts qui monopolisent ce domaine depuis qu'ils l'ont asservi à leur jargon et à leurs règles du jeu. Privé de l'initiation nécessaire et du soutien requis pour démystifier le phénomène, le nouveau venu trouve rapidement dans son quotidien une foule d'événements qui finissent par confirmer à ses yeux son ignorance,

---

28. Pour une présentation commentée de ce modèle, voir Winkin, Y., *La Nouvelle Communication*, *op. cit.*

29. Boivin, J. et Guilbault, J., *Les Relations patronales-syndicales au Québec*, Québec, Gaëtan Morin Éditeur, 1982.

son incapacité. La certitude a tôt fait de remplacer l'impression. Pourtant, quand on observe qui négocie pour un groupe de travailleurs, très souvent l'envers du décor rompt l'illusion. Cet expert reconnu qui tient entre ses mains la destinée de son groupe n'est nul autre qu'un ancien employé qui a acquis sa formation sur le tas[30]... Aujourd'hui il est berger, hier il était brebis. Or les gens se comportent comme si l'expert naissait fort de toute l'expérience requise et ainsi se privent du droit et surtout de l'occasion d'apprendre.

Comble de malheur, ce nouvel expert qui a émergé du lot des travailleurs adopte vite les attitudes associées à sa fonction; on dira avec élégance qu'il se socialise! Jargon juridique, discours ponctué de renvois aux clauses de la convention, conseils sur les gestes à poser dans telle ou telle situation, invitation à faire montre de prudence, à recourir à ses services d'expert en cas de doute, tout est rapidement mis en place. Lentement mais sûrement, l'expert fait son nid. Il étend sa zone d'influence, appuyé dans ses efforts par l'attitude même de ses pairs qui ont vite fait de lui refiler tous leurs problèmes, de mettre en lui leurs espoirs, de lui confier leur qualité de vie au travail. Cette situation se joue tout doucement, parfois même à l'insu des intéressés. Subtilement, une réalité sociale prend forme, si bien qu'après quelques années, nul travailleur n'oserait entrer directement en contact avec ses employeurs. Celui-ci passera par son représentant syndical: la personne compétente en la matière. Négociation collective, grève, lock-out, grief, arbitrage, tous ces rites finissent par cimenter la réalité; nous voilà en présence de travailleurs syndiqués. Le contrat collectif se confond avec le quotidien, dès qu'un pépin survient chacun s'en remet à son petit livre pour vérifier ce qu'il faut faire et prendre une décision. Ce rituel, si normal en apparence, aurait été plutôt farfelu quelques années auparavant. Or la brebis est devenue berger, elle dicte maintenant les règles du jeu. D'autres phénomènes organisationnels illustrent à leur manière l'émergence d'une version du réel.

Dans une grande entreprise, le fondateur et président-directeur général prend sa retraite. Il nomme son fils aîné comme successeur. Brouhaha dans l'organisation, les chaises tremblent, certains changent d'affectation; de nouveaux visages apparaissent. Des employés s'interrogent sur leur avenir et l'on murmure dans les corridors. Puis, tout doucement le vent se calme; les rituels se stabilisent, l'entreprise redevient l'entreprise, on poinçonne, on

---

30. Bien souvent le représentant patronal n'est guère plus aguerri. Ce phénomène explique pourquoi on a si souvent recours à des avocats ou à des conseillers en relations industrielles pour défendre le point de vue patronal; là aussi on délègue. De la sorte, dans la majorité des cas une table de négociation sera placée sous la direction de deux interlocuteurs mandatés.

produit, on négocie, on reçoit son salaire et les jours passent. Trois ans plus tard, on n'y pense plus; le nouveau P.D.G. s'est installé. Le berger a bouffé le loup.

La maison voisine est en émoi! Les propriétaires, un vieux couple sans enfant, sont partis vers d'autres cieux à la suite d'un accident de voiture. Remue-ménage dans le quartier, la maison se vend. Les nouveaux arrivent avec leurs cinq enfants. Amis ou ennemis, ils prennent racine, se font une place parmi les habitudes de leurs voisins et, deux ou trois ans plus tard, ils font partie du décor quotidien. Après que certains les eurent d'abord examinés avec méfiance ou eurent rempli le rôle de comité d'accueil, les relations se sont définies. La situation est claire pour tous. Sans l'ombre d'un doute, le quotidien est fait de transformations progressives ou subites, la stabilité qu'on lui attribue n'est pas aussi réelle qu'on veut bien le croire. Permanence et changement sont tout à fait indissociables[31], même si la tendance est d'accentuer les points morts et de désigner comme repères du réel les périodes de permanence. Et dans ce bouillonnement des mécanismes de socialisation qui entrent en jeu, une réalité se concrétise.

Les trois exemples qui précèdent ont en commun une dynamique: la négociation. Le nouvel expert syndical a négocié son rôle et sa place avec ses pairs, le syndicat et les représentants patronaux. Le jeune P.D.G. a fait de même, les nouveaux voisins également. En fait, chaque situation qui survient donne lieu à une négociation; nous négocions sans cesse la réalité! C'est le caractère routinier[32] de l'exercice qui masque à nos yeux le phénomène. L'exemple le plus classique de ce fait s'inspire des relations amoureuses. Qui n'a pas été amoureux... Certains le sont encore.

Les premiers instants d'une relation de couple sont d'une fragilité et d'une subtilité extrêmes, comme tous les commencements. Les partenaires s'étudient. Le désir de plaire et de séduire accentue notablement la sensibilité aux moindres variations d'humeur de l'être cher. Les premières discussions se résument parfois à des échanges prudents, chacun avançant à petits pas, à l'écoute des réactions de l'autre. Comment une telle relation peut-elle déboucher sur 15 ou 20 ans de vie commune, donner lieu à des scènes et même à de longues heures d'indifférence! Après avoir vécu cette situation, comment expliquer que, le jour où l'un des conjoints frappe à la porte parce qu'il a oublié ses clés, l'autre l'accueille en disant: «Ah! c'est seulement toi. Je pensais que de la visite imprévue arrivait.» On comprend que le

---

31. Voir Watzlawick, P. et al., *Changements: paradoxes et psychothérapie*, Paris, Seuil, 1975.
32. On pourrait aussi utiliser le terme «répétition».

second reste un instant médusé, sur le pas de la porte, à regarder l'autre s'en retourner mine de rien vaquer à ses occupations. Des transformations se sont opérées, le quotidien a remplacé l'euphorie ; mais ce quotidien n'est guère plus stable que le reste. Certains le constatent brutalement quand, après plusieurs années de vie commune, le couple vit une crise qui mène à la dissolution de la relation.

Origine de bien des convictions, ce réel n'est en fait qu'une masse d'argile que chacun tripote constamment. Dans le quotidien, les comportements adoptés déclenchent la renégociation de la réalité et débouchent par la suite sur son maintien, sur de nouvelles transformations ou sur la disparition de versions de la réalité. Bien assis dans son bureau se trouve peut-être, à l'instant, un jeune cadre ouvert qui accueille ses employés à tout moment. Ceux-ci prennent de son temps, car il accorde de l'importance au fait d'entretenir de bonnes relations. Mais son travail en est retardé. Peut-être demain fermera-t-il sa porte ou recevra-t-il ses employés en se tenant dans l'entrebâillement, les refoulant ainsi dans l'antichambre. Ce sera sa façon de dire que la porte reste ouverte, mais le bureau fermé. S'engage alors la renégociation du territoire, de son intimité. Manifestation d'un souhait d'écourter l'échange, de repousser l'envahisseur, son attitude entraîne l'érosion d'une réalité, sa transformation. Le quotidien se tisse de ces subtilités qui le modèlent. Si la négociation collective s'avère un phénomène assez récent en matière de relations de travail, elle n'est toutefois pas une trouvaille. Elle existait ailleurs depuis fort longtemps. Elle a toujours caractérisé les relations interpersonnelles. Curieux, tout de même, que ce soit les négociateurs professionnels qui en reçoivent le crédit ; les néophytes négocient depuis toujours !

Il n'est pas de relation qui ne donne lieu à une négociation ou n'en provienne. En fait, la négociation de la réalité est le lot du quotidien, elle est l'essence même des rapports humains. L'individu communique pour se définir[33] et il négocie sans cesse son identité. Dans le contexte de l'affirmation voulant qu'on ne peut pas ne pas communiquer, un corollaire se dessine : on ne peut pas ne pas négocier. Même quand le météorologue annonce du beau temps, son jugement prend sa force dans le réel de son interlocuteur. Le soleil plaît aux vacanciers, mais décourage le paysan dont le pré brûle...

Que la réalité soit négociée quotidiennement n'a rien de dramatique en soi. L'univers ne bascule pas pour autant et le patron ou l'employé ne disparaîtront pas demain. Par contre, les relations interpersonnelles prennent

---

33. Voir Watzlawick, P. et al., *Une logique de la communication*, op. cit.

une tout autre coloration; elles deviennent les circonstances dans lesquelles s'établit le fil conducteur, la matière d'où émergent les versions du réel. N'affirme-t-on pas que la relance économique dépend de la confiance des investisseurs et ne s'acharne-t-on pas à créer chez eux ce sentiment? Plusieurs gouvernements investissent des sommes monstrueuses dans ce seul but: montrer que tout va aller mieux dorénavant. En fait, la réalité est négociée quotidiennement à travers les comportements les plus anodins, et cette dynamique est médiatisée par la communication.

14ᵉ mythe

La réalité sociale est donnée au départ et nous communiquons à propos de cet objet

Contrairement à l'impression que nous en avons, grâce à la communication nous participons à la création de ce réel dans lequel nous voyons ensuite un objet qui nous serait étranger. Et dans le flot des interactions qui conduisent à l'émergence de ce réel sans cesse remodelé, par nos comportements nous revendiquons une place qui viendra concrétiser notre identité, notre quête d'existence.

Communication et création d'événements
C'est mon opinion et je la partage!

Plongés dans le tumulte du quotidien, les individus se forgent des opinions à propos des événements. S'ils jugent parfois pertinent de se questionner sur ces opinions, il est plus rare qu'ils se penchent sur ce qui compose un événement, sur la manière dont il prend forme. Celui-ci leur apparaît totalement extérieur à eux-mêmes. Or tout événement est un mythe, s'accompagne d'un acte de foi. Le terme «événement» dissimule un découpage, une organisation fort complexe de sensations perçues par l'intermédiaire de sens limités et imparfaits.

Pendant qu'on le trace, le début d'un cercle est facilement repérable. S'il est parfaitement dessiné, une fois complété, ni le début ni la fin de la figure ne sont identifiables pour l'observateur. De la même manière, l'événement paraît complet une fois cerné; il semble aller de soi. Pourtant, il suffit de prendre les images d'un film une à une pour tuer le mouvement. Mais au rythme de 24 images à la seconde, l'illusion apparaît, l'artifice échappe à l'œil. Des illusions similaires sous-tendent toute communication qui nous concerne; cela s'explique. Même l'événement le plus anodin met en cause la perception, un processus actif d'organisation des stimuli en un tout cohérent; de plus, un phénomène peu connu est toujours présent, la ponctuation de la séquence des faits qui mène à l'isolement d'un ensemble de stimulations mises en relation. Quand on conduit une voiture, la température du volant importe peu; on évacue alors cette information. Il n'en va pas de même de la ponctuation des faits pour créer l'événement; cet aspect échappe régulièrement à l'attention des individus concernés.

15ᵉ mythe

La communication porte sur des événements fondés objectivement

L'humain n'a accès qu'à une mince portion de cet environnement auquel il appartient à titre de matière. Et sans entrer dans les savantes démonstrations scientifiques, il peut tout de même tirer de son incapacité à embrasser l'univers des informations intéressantes sur la communication humaine. L'essentiel sera de reconnaître que tout événement est créé par suite d'un découpage souvent totalement inconscient de ce qui est perçu.

Quand on relie les uns aux autres des phénomènes constitués eux-mêmes de groupes de stimuli qui viennent de nos sens, il importe de comprendre qu'on réunit alors de petits bouts de «réel» et ponctue automatiquement la réalité[34]. Cet aspect méconnu de l'interaction avec l'environnement passe inaperçu. Or il est fondamental, sa présence implique des décisions importantes même si elles demeurent implicites. Ponctuer les faits, c'est décider qu'une situation commence et se termine à des moments bien précis. Ainsi se crée l'événement, un morceau de réel. Arbitrairement, on impose un début et une fin aux événements dont dépend l'appréhension

---

34. Watzlawick, P. *et al.*, *Une logique de la communication, op. cit.*

du monde. Le quotidien de la vie de couple fourmille d'exemples de ce genre, où l'on appréhende la communication à travers l'événement.

La tendance à rechercher ou à identifier à tout prix un coupable ou un instigateur quand survient une dispute de couple illustre certains effets de la ponctuation des séquences de faits, de ce mode de découpage des événements. Cette tendance montre comment le découpage du réel peut même influencer le jugement porté sur les événements. Toute situation de communication y est soumise, ce que révèlent certaines expressions populaires telles que «commençons par le commencement». Tout se passe comme s'il y avait en soi un début et une fin aux choses, et voilà peut-être pourquoi peu de gens se questionnent sur ce phénomène. Or, en matière de communication, la ponctuation des événements compte énormément; elle affecte la compréhension, l'interprétation de l'interaction.

16e mythe

La communication a un début et une fin

Comme le signalait à juste titre Watzlawick[35], la communication est un flux continu, elle n'a ni début ni fin. Dans la perspective des propos que nous tenons, il n'y a qu'un pas à faire pour en conclure que nous morcelons le phénomène dans notre recherche active de signification. Cette disposition au découpage des faits affecte notre compréhension des relations interpersonnelles.

Une large part des difficultés rencontrées quand on tente de comprendre les situations interpersonnelles tient au désir d'établir la manière dont les choses ont commencé. Lorsqu'on cherche continuellement le début des choses, on en vient à croire qu'il y a une adéquation entre la valeur des idées auxquelles on parvient et l'aptitude à situer les origines. Or l'impression n'est absolument pas fondée! Le fait de découvrir les causes et de reconstituer la chaîne conduit souvent au journalisme intellectuel alors qu'on aspire au contraire à saisir la signification globale des interactions.

Retenons tout de même qu'aux yeux de bien des gens, vu la force de l'habitude, le conflit de couple, par exemple, paraît logiquement s'engager

---

35. Watzlawick, P. *et al.*, *Une logique de la communication, op. cit.*

sur la base d'une provocation identifiable, qu'on nommera «cause» pour ainsi en situer le début. De la même façon, on proclamera les hostilités terminées quand les excuses et les reproches de circonstance auront été échangés. Ces indices une fois mis à jour légitimeront l'affirmation selon laquelle à ce moment-là l'événement prend fin. Malgré cette dynamique, il ne faudrait pas parier sur l'équivalence du découpage d'un partenaire à l'autre! Pire encore, pour l'observateur extérieur, le début et la fin de l'événement dépendront souvent du moment de son arrivée dans le décor. Là ne s'arrêtent pas les difficultés; le caractère implicite du phénomène entre en jeu.

Trop souvent malheureusement, comme si la situation n'était pas déjà assez compliquée, la ponctuation de la séquence des faits reste implicite entre les partenaires malgré ses effets sur leur relation. On s'en rend compte immédiatement quand par hasard la discussion porte sur ce que serait un découpage adéquat du réel. À cet instant surgissent souvent des accusations selon lesquelles un des partenaires veut toujours avoir raison, ou autres choses du genre. Ainsi, même une tentative de métacommunication sur la ponctuation risque de propulser l'affrontement à un autre niveau, de transformer une guerre de contenu en une bataille sur la nature de la relation: à savoir qui peut de droit identifier le «vrai» conflit, l'agresseur. Or, un découpage différent de l'événement met autre chose en évidence, des rituels de communication.

Supposons un instant qu'on déplace les frontières officielles de l'événement. Mettons en veilleuse l'idée de conflit pour inclure dans le découpage plus d'éléments, y compris la période habituellement considérée comme étant celle du renouement. Sur la base de cette nouvelle ponctuation de la séquence des faits, on constatera aussitôt que les excuses et la réconciliation suivent des dynamiques semblables à celle du conflit, adoptent un même rituel. La répétition frappe l'imagination par sa clarté[36].

Quand les partenaires se contestent le droit de statuer sur la ponctuation de la séquence des faits qui crée l'événement, l'affrontement ne fait que se déplacer à un autre niveau, celui de la relation. Comme cet aspect leur est peu familier, ils se retrouvent coincés dans un effet de la communication sur leur comportement et réduits à affronter un autre problème: comment rendre claire pour l'autre la décision de suspendre les discours enflammés pour négocier la relation? Ainsi, un désaccord sur le découpage du réel peut générer de nouveaux éclats de voix. La situation demeure toujours

---

36. Watzlawick, P. et al., *Une logique de la communication*, op. cit.

délicate, car autoriser l'autre à contester le découpage des faits paraît interdit à la lumière des échanges précédents. À ce moment, quand les partenaires sont prisonniers de leur difficulté à métacommuniquer, le contenu des échanges compte moins que les effets de la mésentente. Cette difficulté pimente le quotidien de bien des organisations.

L'une des questions auxquelles nous avons été appelés à répondre très souvent au cours de nos interventions dans les entreprises pourrait se formuler comme suit: que faire quand un patron demande à un employé de préparer son rapport pour la veille, ou encore d'accomplir en 24 heures le travail d'une semaine, quand déjà la tâche normale déborde le calendrier? Énoncées dans ce contexte, ces doléances ne permettent aucune réponse. Elles se résument à dire: «Monsieur l'Expert, comment puis-je réussir l'irréalisable?» À cela nous répondons souvent par une boutade afin d'annuler le sort: «Dès que la situation est urgente, prenez tout votre temps, car une erreur serait inadmissible.» Prescription paradoxale[37] certes, mais permettant par la suite de réviser la situation avec l'interlocuteur.

La question de savoir comment réussir l'irréalisable est piégée[38]. Pour y répondre, un redécoupage de l'événement s'impose, lequel suscitera des questions compromettantes. Depuis quand l'employé est-il responsable des vices de la planification de son patron? Pourquoi, de plus, doit-il se sentir coupable du retard supplémentaire qu'entraînent dans sa tâche normale ses efforts pour répondre à cette attente impossible? Ces questions illustrent que le découpage de l'événement pourrait inclure des faits antécédents à la demande patronale et dont la présence risquerait de porter ombrage à certains... Cette nouvelle ponctuation de la séquence des faits montre que la communication dépasse les contenus échangés et inclut des informations qui relèvent de la relation.

Certains mythes organisationnels veulent que l'employé soit soumis aux attentes du patron, et non l'inverse. Il serait illégitime que l'employé envoie une note disciplinaire à son patron pour lui rappeler de faire de la planification. Or, parfois la chose s'imposerait... Somme toute, on peut retenir des différentes situations évoquées que les problèmes de ponctuation mettent en évidence une difficulté à discuter des relations ou l'interdiction de le faire prescrite par le contexte[39], entendre ici une vision traditionnelle de l'organisation.

---

37. Layole, G., *Dénouer les conflits professionnels, l'intervention paradoxale*, Paris, Éditions d'Organisation, 1984.

38. Watzlawick, P., *Comment réussir à échouer, trouver l'ultrasolution*, Paris, Seuil, 1988.

39. Le contexte fait partie de la communication interpersonnelle.

Jeu de l'esprit? En apparence seulement. L'être humain découpe la réalité sociale et en arrive même à se la rendre étrangère[40]. Une fois qu'elle lui échappe, il en devient rapidement le serviteur. Prenons l'exemple d'une définition élémentaire de l'organisation. L'organisation existe-t-elle en dehors des gens qui la composent ou n'est-elle que le reflet des croyances qu'on entretient à son égard? La version de la réalité qui domine à ce propos est la première. L'organisation serait une entité concrète indépendante des personnes qui y vivent, la preuve de cela étant qu'elle leur survit.

Une fois ce credo adopté, la compréhension de l'organisation procède alors d'une étude objective de l'objet créé et l'humain n'en devient qu'une facette. En conséquence, on développe des théories ayant pour but d'expliquer que l'organisation est une entité sur laquelle on peut agir directement. On parlera de restructurer l'organisation, donc les gens, de maximiser son rendement, donc celui des membres, de diversifier ses activités, donc celles des employés. Il n'y a rien de grave à cela. Or, si la perspective inverse prévalait, on parlerait plutôt de restructurer les rapports entre les personnes dans l'organisation, donc de changer leurs habitudes, d'augmenter leur efficacité, donc d'amener les employés à devenir de meilleurs producteurs, de diversifier leurs compétences, donc de leur permettre d'apprendre. Le problème du gestionnaire change alors car il doit à ce moment axer son attention sur les personnes elles-mêmes plutôt que sur des activités abstraites réalisées par elles. Il n'y a là pourtant qu'une inversion de la ponctuation de la séquence des faits, mais combien difficile à effectuer. À leur manière, les cercles de qualité, les modèles d'entreprise du troisième type et plusieurs recettes dont on nous parle depuis quelques années proposent un tel changement de perception.

Malheureusement, les approches qui proposent ce changement de ponctuation sont examinées et rapidement transformées en techniques dont la portée n'a d'égal que l'incompréhension dont elles sont la démonstration. En fait, les nouvelles stratégies de gestion prêchent des changements de mentalité, une vision de l'organisation fondée sur les individus, bref un mythe nouveau. Un tel credo requiert que l'organisation soit synonyme des gens qui la composent, incluant ceux qui la gèrent. Dès lors, ces derniers cessent d'être des dieux qui règnent sur leur univers. La pilule est dure à avaler. Pourtant, tout reste possible, mais d'une manière différente, car au lieu d'être victime de la réalité sociale, chacun en devient responsable, le maître d'œuvre.

---

40. Voir chez E.T. Hall la notion de transfert de projection.

Les gestionnaires, comme d'ailleurs la majorité des individus, ont pris l'habitude d'isoler les événements par un découpage arbitraire du «réel» qui les conduit à estimer que les phénomènes leur sont extérieurs. Ainsi, l'organisation existerait d'elle-même, comme la Science ou la «Réalité». Ce sont là des effets généraux d'une particularité de la communication humaine, d'une ponctuation du réel qui rend ces personnes esclaves de leurs mythes. De la même façon, les gens pensent que la communication commence et se termine quelque part, alors qu'elle ne s'interrompt jamais. Voilà pourquoi le Soleil tournait autour de la Terre autrefois et comment le libre-échange devient nécessaire aujourd'hui, comme le virage technologique. Mais peu de vérités supportent l'épreuve du temps, car ce n'est pas lui qui passe, c'est plutôt nous...

Communication, compréhension et influence
La crise du non

De toutes les questions qui surgissent quand une discussion à propos de la communication survient, la plus fréquente concerne la façon de s'y prendre pour que jaillisse chez l'autre la compréhension. Cette préoccupation est légitime, car à quoi servirait-il de communiquer si le destin de l'humain se résumait au bout de la ligne à s'achever dans l'incompréhension? Ce point de vue assez répandu frappe d'abord l'esprit par sa logique en apparence inattaquable puisqu'elle est fondée, dit-on, sur l'évidence. Quand le père ou la mère gronde son enfant et termine son intervention par un menaçant «me suis-je bien fait comprendre?», il ne subsiste pas de questions sur ses intentions; tout paraît normal. Ainsi, enveloppés par cette mythologie quotidienne, les individus réduisent la communication à la transmission d'un message clair dont l'effet devrait s'harmoniser avec leurs attentes. On parvient ainsi à légitimer le fait d'investir des fortunes en publicité télévisée. Le spectateur finira bien par écouter: si le message est clair, il comprendra et consommera... du moins on l'espère. Les parents usent du même artifice, ils répètent sans cesse les mêmes consignes à leurs enfants.

Derrière le gros bon sens qui relie clarté et compréhension se dissimule dans la vie de tous les jours toute l'intention publicitaire ou éducative. De la même manière que le publicitaire qui espère de son message un effet précis, chacun met de l'énergie à clarifier ses messages pour être compris, mais l'objectif réel reste à l'arrière-plan. Nous avouerons rarement à quelqu'un notre intention de le forcer à changer d'idée, nous ne proclamerons pas notre désir de réduire la liberté de l'enfant; bref, loin de nous la conscience de notre vraie condition : la recherche d'un contrôle sur l'autre à travers la communication. Désir inconscient ou inavoué, l'acharnement à transmettre un message clair qui générera la compréhension dissimule l'espérance d'une influence précise sur le comportement de l'autre. Qu'une enfant de trois ans dise non à ses parents, apparaîtra alors au grand jour la fonction réelle de l'argumentation qui s'ensuivra. Plus claire encore est la situation quand, devant le refus de l'enfant de se soumettre, le père ou la mère impose par la force sa volonté[41]...

Dans l'entreprise, la situation demeure inchangée. À sa manière, l'employeur déploie toutes sortes de stratégies pour obtenir de ses employés qu'ils adoptent des comportements précis ; ces stratégies reposent souvent sur l'hypothèse implicite voulant que la clarté du message conduira à la divine compréhension qui génère soumission et désir de satisfaire les attentes révélées. La procédure administrative illustre bien ce phénomène par son caractère prescriptif ; tout comme les rituels prévus par les contrats collectifs en matière d'embauche, la procédure dicte des comportements. Quand la direction informe ses cadres qu'ils doivent s'en remettre aux clauses *a*, *b* et *c* du contrat pour l'affichage des postes ouverts, le message envoyé prescrit de se conformer aux normes négociées ; si bien qu'à la longue, le seul fait d'afficher devient significatif. Pour cette raison, on voit régulièrement apparaître dans les entreprises des notes qui informent d'abord à l'interne de l'intention de recruter et dont plus personne ne se soucie, sauf le délégué syndical. Tout comportement déviant provoquerait des réactions en chaîne ; sachant cela, on prévient le coup. De cette façon, l'entreprise ressemble à la famille : il existe des règles du jeu, et n'en impose pas aux autres qui veut. Plus encore, tout manquement à ces règles devient rapidement synonyme de contestation de l'autorité. Cette attitude n'est guère plus admise que le non de l'enfant à la directive parentale. On constate que cette crédulité à propos des effets magiques du message clair qui induit compréhension et soumission s'avère le lot du quotidien.

17ᵉ mythe

Un message clair induit compréhension et soumission

L'équation entre message clair, compréhension et soumission révèle une certaine naïveté en matière de communication. Certes, un

---

41. Certes, l'affirmation se veut amorale.

> *message clair peut conduire à la compréhension, mais il n'est pas*
> *évident que l'autre comprendra «comme nous», de la même façon,*
> *l'information communiquée. Il peut donc y avoir compréhension*
> *sans équivalence de signification! C'est le principal intéressé qui,*
> *par extension, suppose la similitude. De plus, il est encore moins*
> *certain que l'habileté à se faire comprendre garantisse que l'on*
> *obtiendra l'effet escompté.*

Deux individus discutent de l'avortement et s'opposent quant à sa légitimité. Les arguments se succèdent et chacun, convaincu de l'à-propos de ses opinions, refuse de se rendre au point de vue de l'autre. Après quelques minutes de discussion, les interlocuteurs en viennent à bien connaître la vision de l'autre. Pourtant, ils restent sur leur position malgré la clarté du message qui se résume au bout du compte à un pour et à un contre le geste. Peu importe le sujet discuté, de telles situations sont monnaie courante et révèlent la distance appréciable qui sépare la compréhension de l'adhésion. Aussi avançons-nous que ce mythe, s'il explique bien l'entêtement des interlocuteurs, rappelle néanmoins combien il est illusoire de croire que le pouvoir sur l'autre provient de la clarté d'un message qui conduit à la compréhension. Or, devant l'insuccès de ces tentatives d'influence, les conclusions restent habituellement superficielles. Souvent, à propos de tels échanges sans fin, l'un des interlocuteurs déclarera: «Il ne veut rien comprendre!» Or on pourrait plutôt découvrir les effets pervers de la clarté et d'une trop grande efficacité de la communication dans laquelle ceux-ci se sont trouvés. Cette démonstration parfaite et implacable met en évidence le fait qu'aucun des partenaires n'a pu amener l'autre à partager son avis, que la compréhension était espérée non pour elle-même mais dans l'espoir d'une emprise sur l'autre! Dans ce contexte, toute accusation suivant laquelle l'autre refuse de comprendre trahit un refus des effets de la communication. Le problème est qu'on supporte mal le comportement récalcitrant de l'opposant. La crise du non se poursuit même à l'âge adulte...

Communication et domination

Parler le dernier

En réponse aux non répétés qu'ils essuient au cours de certaines discussions, bien des gens se débattent comme des diables dans l'eau bénite. Parfois, plus la relation devient claire, moins ils estiment élevées leurs chances d'infléchir l'opinion de l'autre. Alors s'installe une fine vengeance qui prend la forme d'une lutte pour avoir le dernier mot, comme s'ils pouvaient y trouver un avantage ! Chacun sait en son for intérieur, dès qu'il y songe, que mettre un terme au débat ne signifie pas qu'on démontre sa supériorité ; pourtant, on y trouve parfois une satisfaction d'un autre ordre. L'explication de ce déplorable phénomène qui monopolise des énergies considérables se trouve dans la relation qui médiatise l'échange.

18ᵉ mythe

Avoir l'avantage dans les arguments conduit à dominer l'autre par la communication

Contrairement à l'impression créée par ce type de situation, avoir l'avantage dans les arguments ne donne que l'impression de la victoire. Parfois même, ce succès apparent conduit à un durcissement des positions qui rend tout effort subséquent de rapprochement presque inutile.

Parvenir à modifier la perception de l'autre par la communication laisse la fausse impression d'une victoire qui se situerait sur le plan du contenu de l'échange. Si on regarde la chose de plus près, on y découvre une bien plus grande sensation. Même si peu de gens l'avouent ou en sont conscients, ils y trouvent surtout l'occasion d'éprouver une impression de supériorité qui concerne la relation elle-même. Le fait d'infléchir l'opinion de l'autre donne l'occasion de se valoriser, procure la sensation de le supplanter, d'être «au-dessus», position[42] qui culturellement convient bien à la course à l'excellence, si perverse soit-elle... Sortir vainqueur de la discussion, c'est être premier, comme à l'école... Cette gloire est bien éphémère. Et lorsque l'impasse survient, que les arguments ne suffisent pas pour éviter la domination, on oblique vers un rituel sans issue : la course au dernier mot. Bien plus, en dépit de la valeur des discours en présence, il devient important de parvenir à clouer le bec à l'autre. Ainsi le débat se déplace-t-il du contenu

---

42. Voir Watzlawick, P. *et al.*, *Une logique de la communication, op. cit.*, sur les relations complémentaires.

à la relation, car il paraît essentiel de sauver la face, de ne pas céder devant l'autre.

Clouer le bec à l'opposant en mettant fin au débat ressemble tout de même à une victoire. Si les arguments n'ont pas convaincu, à tout le moins étaient-ils plus nombreux; pire encore, plus subtil que l'autre, on peut devenir celui qui a su quand s'arrêter: pied de nez à l'adversaire! Comme si la quantité d'arguments ou la grimace pouvaient pallier l'effet espéré. Dans ces circonstances, le moindre signe de faiblesse de l'autre à cet égard prend la dimension d'une faille qui confirme la victoire. Voilà pourquoi certaines discussions se terminent par une suite échevelée d'arguments dérisoires: le jeu s'est déplacé sur le plan de la relation et le sujet n'a plus aucune importance! Aussi n'est-il pas surprenant qu'une fois le débat clos, la victoire paraisse moins satisfaisante. On réalise le caractère enfantin des comportements en présence et l'aspect futile du jeu. Dans ces affrontements, les adultes ressemblent plus à des enfants qui se querellent pour déterminer lequel de leurs pères est le plus fort qu'à des personnes dites réfléchies.

Ces petites guerres sont malgré tout riches en enseignements à propos de la communication. Elles mettent d'abord en évidence l'importance considérable accordée au fait d'avoir raison, de détenir la Vérité. Pour en obtenir la confirmation ou du moins avoir l'impression de cela, bien des individus sont prêts aux pires enfantillages, quitte à plier la réalité à leur point de vue en se leurrant eux-mêmes. De même que le patron qui ne se reconnaît pas le droit à l'erreur tente par tous les moyens d'invalider les propos de son employé, de même certains s'engagent dans un marathon de paroles pour sauver la face. Ces circonstances révèlent une guerre pour imposer une définition de la relation; de ce fait le sujet discuté ou les arguments employés perdent toute importance. Or ces rituels de la communication, qu'on juge avec sévérité quand ils concernent des enfants ou des employés, paraissent sur le coup très légitimes dès qu'on y est engagé. Intuitivement, on réalise peut-être à quel point l'identité individuelle s'appuie sur les effets de la communication à laquelle on participe, que l'image projetée aux yeux des autres en dépend. La perception de soi comme excellent ou mauvais auteur dépend largement des réactions des lecteurs... Quant aux critiques littéraires ou scientifiques, nous les savons dans une classe à part...

Communication et conflit
===================================== *L'inévitable affrontement*

Les discussions entre experts fourmillent de situations loufoques. L'expertise vit de la reconnaissance qu'on lui voue, et quand deux savants collègues se heurtent, les résultats surprennent parfois. Un jour que l'un des auteurs de cet ouvrage devait agir comme membre d'un comité chargé de décerner un prix à une entreprise ayant eu un rendement digne de mention en matière de gestion des ressources humaines, nous fûmes pris dans un affrontement très sophistiqué entre des perceptions à propos de l'excellence. Que cette valeur soit aujourd'hui pervertie[43], associée qu'elle est au mythe du héros qui se hisse par sa seule force au-dessus de tous, cela importe peu à côté du choc des visions de l'excellence dont nous fûmes témoin.

Chaque expert avait, dans le secret de son antre, préparé une première évaluation des candidatures présentées. Fort de cet exercice de jugement si valorisant, chacun se présenta à la table de réunion pour qu'ensemble nous rendions un verdict. Ô la douleur vive ressentie par tous! Le classement de 1 à 4 ne correspondait pas d'un juge à l'autre. Pire encore, certains voyaient leur lauréat potentiel repoussé au rang de bonnet d'âne par d'autres. Alors le jeu s'engagea. Danse subtile des argumentations, étude crispée des positions, comme le loup à l'affût, l'expert lésé surveillait le premier signe d'une défaillance dont il eût pu tirer avantage.

19e mythe

En matière de communication, il faut se battre
pour résoudre les divergences

Quand les divergences de points de vue sont perçues comme des situations où il doit y avoir un vainqueur et un vaincu, l'affrontement est inévitable. Or, si l'objectif passe à un autre plan, soit celui du dénouement de l'impasse, perdre devient sans importance, et l'on peut espérer des résultats très intéressants.

Nous sentant piégé dans un débat sans utilité, nous avions le choix entre envenimer la situation en ajoutant nos commentaires à ceux des autres et nous adonner à un style fort différent: jouer celui qui a besoin d'aide pour parvenir à décider dans cette situation qui devenait de plus en plus confuse. Le pari était alléchant. Quand vint notre tour de défendre notre os, nous déclarâmes ne pas pouvoir choisir après avoir entendu les arguments des participants. Autant d'avis distincts et si bien articulés exigeaient que nous

---

43. *Autrement*, n° 86, janvier 1987.

repensions notre choix. Par cette simple attitude divergente, la situation de communication se trouva modifiée[44]. Le doute était désormais permis, avoir raison perdait de son importance. Le groupe se découvrait une marge de manœuvre : aidons ce pauvre expert, éclairons sa lanterne.

Les affrontements entre les perceptions sont chose courante. Ils illustrent combien la communication affecte les comportements et à quel point chacun est soumis à la définition de la situation qui émerge du flux des échanges. La décision de présenter une position faible aux experts dans ce débat donnait l'occasion de transformer une lutte de vérités en une stratégie de collaboration. Devant la possibilité de sauver la face à la faveur d'une attitude bienveillante, les autres eurent tôt fait de proposer une stratégie de pointage tenant compte des perceptions de départ de chacun, laquelle déboucha sur un classement qui détermina le gagnant du prix. Certes, le lauréat fut celui qu'avait choisi l'un des juges, ce qui lui donna la chance de planer au-dessus des autres. Mais ces derniers purent se féliciter de leur aisance à nous venir en aide dans un dossier qu'ils avouèrent être au mieux peu important.

Si nous avions plutôt opté pour l'affrontement, le conflit potentiel aurait probablement éclaté ; il aurait meublé une bonne partie des discussions et n'aurait finalement rien changé à l'obligation de choisir un lauréat. Cette hypothèse se vérifie dans des situations quotidiennes comme les débats sur la valeur des partis politiques, sur celle des équipes sportives ou encore dans le cadre des chauds affrontements sur l'avortement. Quand se produit un choc de perceptions, les individus se croient souvent obligés de lutter car il ne leur paraît pas y avoir d'autres options. Or il y en a toujours. Si on ne peut pas ne pas communiquer, comme le veut la métaphore de l'orchestre, l'instrument peut toujours lutter contre l'orchestre. Alors, il se présente toujours des raisons pour harmoniser le tout. Dans l'organisation, l'une des raisons se résume souvent au temps dont on dit qu'il nous force à décider. Devant lui, tous s'inclinent, ou s'en vont...

---

44. Voilà qui n'est pas sans rappeler un aspect développé par Watzlawick, P. *et al.* dans *Changements : paradoxes et psychothérapie, op. cit.*, soit une stratégie qui consiste à faire «moins de la même chose».

3

Pragmatique, axiomes et corollaires de métacommunication (parenthèse théorique)

La pragmatique : un regard sur les effets

Plusieurs scientifiques sont des passionnés des causes. La compréhension de la manière dont se nouent les phénomènes les uns aux autres, la découverte du fil d'Ariane ou de la façon de reproduire une chaîne de réactions censées être interdépendantes, voilà des préoccupations qui ont conduit à des sommets technologiques. Or, à l'arrière-plan, la même question se profilait toujours : pourquoi les choses sont-elles ainsi ? Cette recherche sans cesse renouvelée de compréhension revêt à n'en pas douter une grande importance. Pourtant, cette préoccupation constante chez de nombreux chercheurs quant au pourquoi des choses a fait qu'ils ont laissé de côté d'autres questions tout aussi intéressantes, dont celle de l'effet. Porter son attention sur l'effet plutôt que sur la cause caractérise une approche pragmatique. Cependant, nous devons préciser l'extension que nous donnons à la définition courante du terme « pragmatique ».

Sartre disait que « la vérité pragmatique a remplacé la vérité révélée[1] ». Il s'en remettait alors à la définition philosophique du pragmatisme, qui est une doctrine donnant la valeur pratique comme critère de la vérité ou d'une

---

1. *Le Petit Robert*, 1970.

idée. Cette signification du terme «pragmatique» nous convient mal; nous lui préférons celle proposée par Watzlawick et ses collaborateurs:

> (...) *nous voudrions intégrer aux actes qui relèvent du comportement individuel les signes qui sont de l'ordre de la communication et qui sont inhérents au contexte où se produit cette communication. Selon cette conception de la pragmatique, tout comportement, et pas seulement le discours, est communication, et toute communication – même les signes qui frayent la communication dans un contexte interpersonnel – affecte le comportement*[2].

Dans ce contexte, la pragmatique s'intéresse à l'effet de la communication sur le comportement; dans les pages qui suivent, cette préoccupation pour l'effet sera étendue à l'ensemble des phénomènes dont il sera question. S'il arrive que les causes soient évoquées, ce ne sera jamais pour en démontrer la présence ou l'importance. Elles ne serviront qu'à éclairer la façon dont les causes jouent un rôle d'effet selon le point de vue qui prévaut à un moment donné. Ce n'est ni l'œuf qui est la cause de la poule ni la poule qui est la cause de l'œuf, mais chacun des deux est un effet de l'autre... selon le moment de l'observation. On comprendra alors que la causalité traitée ici est circulaire. Cette perspective convient à la pragmatique et modifie radicalement l'observation des phénomènes. Ainsi, dans l'éventualité où une dispute de couple fera l'objet d'une illustration, l'intérêt se portera sur la manière dont les partenaires alimentent le débat plutôt que sur une recherche de l'origine du conflit ou d'une solution.

Qui ne dit mot consent ou qui consent refuse: l'accord pragmatique

On a déjà mentionné le fait que les dictons rendent souvent compte des paradoxes les plus élémentaires de la vie quotidienne: la parole est d'argent et le silence est d'or; qui ne dit mot consent; une image vaut mille mots; etc. Toutes ces phrases passe-partout servent régulièrement à légitimer des comportements discutables en eux-mêmes[3]. L'éducation des enfants fournit à cet égard d'excellents exemples d'une dimension subtile du comportement humain, l'art de se faire avoir, ou celui de contraindre, qui constitue le caractère pragmatique de la communication. Obscures affirmations que celles-là, lesquelles demandent une explication.

---

2. Watzlawick, P. *et al.*, *Une logique de la communication*, Paris, Seuil, 1972, p. 16.

3. Selon le point de vue adopté, tout comportement peut s'avérer discutable...

S'il est une attitude que l'humain supporte difficilement dans ses rapports avec autrui, c'est bien le refus de l'engagement. «Qui n'est pas avec moi est contre moi» exprime clairement cette difficulté, et même la frustration associée à cette situation. On tolère mal l'indécision, et même quand on s'arme de patience, si l'autre tarde à choisir, on aura tendance à régler soi-même la situation en tentant d'imposer la décision. Ne dit-on pas que de deux maux il faut choisir le moindre? Serait-il plus à propos d'opter pour la formule: de deux maux on n'en choisit aucun? Un phénomène se dissimule derrière ces dictons, lequel est si évident qu'on l'oublie. Le fait d'être en désaccord avec quelque chose diffère totalement de celui d'abandonner l'ensemble des comportements qui manifestent ce refus. Bref, dès qu'on cesse de s'objecter à quelque chose, l'environnement tient pour acquise sa victoire: la dimension pragmatique de la communication place ce phénomène au premier plan; l'intention et l'effet ne se superposent point.

Quand des parents interrogent un enfant pour savoir s'il a dérobé les pièces de monnaie qui traînaient sur le comptoir de la cuisine, ils désirent surtout vérifier sa franchise. Du moins le croirait-on. Si l'aveu de l'enfant entraîne la punition, il constatera vite les avantages du mensonge par rapport à la franchise. En quelque sorte, il se peut que, par les comportements mis en avant, on attire l'attention sur le contraire de ce qu'on souhaitait enseigner. L'accord pragmatique est un phénomène sous certains aspects semblable à l'enseignement ou à l'éducation; sa présence dépend des effets et non de l'intention.

En 1981, dans un volume intitulé *La Gestion des équipes de travail*, nous proposions une définition de la conscience pragmatique[4]. Dans le cas présent, l'attention se porte davantage sur les phénomènes qu'elle rend évidents en ce qui concerne la négociation de la réalité. Il sera possible de voir qu'intervient non seulement une négociation de la réalité, mais encore une négociation des critères qui lui donnent sa validité de même que des règles conduisant à sa création. En guise d'introduction, il serait intéressant d'observer comment un refus devient parfois un acquiescement, et vice versa, et, avec un peu d'humour, de prendre pour complices les auteurs et le lecteur afin d'illustrer ce fait.

Un couple d'amoureux se berce délicieusement au clair de lune, silencieux devant le spectacle d'une merveilleuse nuit d'été. Cette première phrase illustre directement les effets de l'accord pragmatique. Étudions-la

---

4. Nous disions alors qu'agir sur cette base supposait l'utilisation de la différence entre l'intention et l'effet comme une information devant guider l'adaptation dans la poursuite d'un objectif, au risque même de devoir remettre ce dernier en cause.

attentivement en reprenant l'affirmation du paragraphe précédent. D'abord, nous avons déclaré qu'un refus peut devenir un acquiescement, bref que l'accord pragmatique est défini par l'effet et non par l'intention. Il s'agit d'une subtilité que vous pouviez accepter de bon cœur. Nous avons prétendu vous démontrer cette affirmation, et, à ce titre, le début du paragraphe donnait l'impression que nous introduisions un exemple. Si vous avez lu le paragraphe précédent et que vous lisiez celui-ci, vous avez dit oui à une foule de choses, sans pour autant que nous le demandions explicitement. D'abord, que vous soyez d'accord ou non avec l'idée de négocier la réalité et sa validité, vous avez donné votre accord pragmatique, sinon votre lecture se serait arrêtée là. Peu importent les raisons, que ce soit par curiosité, par intérêt ou par acquit de conscience, vous continuez la lecture.

En second lieu, vous avez admis qu'un énoncé est plus acceptable quand un exemple donne une explication de sa portée. Plus encore, vous n'avez probablement pas contesté le fait que nous prenions les rapports amoureux comme champ d'observation. Bref, cette simple phrase – un couple d'amoureux se berce délicieusement au clair de lune, silencieux devant le spectacle d'une merveilleuse nuit d'été – entre dans notre démonstration et il ne vient à personne l'idée de la remettre en cause. Les relations quotidiennes sont remplies de ces accords dont l'effet n'apparaît qu'après coup. Plus encore, derrière le discours explicite, un autre discours se déroule, plus discret que le premier mais non moins important. La communication dépasse le simple discours parlé, tout le comportement est communication. Ainsi, lire ce volume en maugréant contre sa complexité, contre son style, contre la prétention des auteurs ou contre leur humour à contretemps, c'est tout de même consentir à le lire. Le raisonnement s'applique également aux personnes qui prennent plaisir à cette lecture. Accepter une invitation à contrecœur, assister à une réunion qui nous dérange, accorder un rendez-vous qui nous embête, c'est donner notre accord pragmatique. Même si nous avons alors l'intention de manifester notre ennui ou notre manque d'intérêt, nous acceptons que les événements surviennent, nous y prenons part. Nous disons de la sorte oui à des choses auxquelles nous nous empêchons de dire non. Nous voilà prêts à aborder l'essentiel, n'en doutez point!

En route vers le réel des uns et des autres, des axiomes et des corollaires de métacommunication

Les métaphores utilisées dans les chapitres précédents avaient pour fonction de créer un changement de perspective, de recadrer des événements et d'élargir la signification habituellement associée au terme «communication». Par leur intermédiaire, différents mythes ont été explicités et leur caractère absolu a été contesté. Le temps est maintenant venu d'exposer ce que nous proposons en retour, de révéler les mythes dont nous sommes les promoteurs... Aussi, pour illustrer la portée de l'approche adoptée, nous formulerons des axiomes et des corollaires que nous expliquerons à l'aide de situations tirées du quotidien. Ces mythes qui sont les nôtres sont le fruit de 15 années d'observations et de réflexion au sujet des phénomènes de communication. Nous espérons ainsi, par l'assimilation de la négociation collective[5], des relations interpersonnelles ou encore des relations professionnelles à des systèmes de communication, offrir des points de repère qui rendront évidentes des règles de la construction du réel quotidien, lequel est une affaire de négociation interpersonnelle.

Deux axiomes de métacommunication[6] jouent un rôle important dans l'étude du processus de négociation du réel. Ils se fondent sur une évidence, l'impossibilité de ne pas se comporter, mais leur découverte nous force à reconsidérer tous les comportements observables.

1er axiome

On ne peut pas ne pas communiquer (Watzlawick *et al.*)

Le comportement n'a pas de contraire. Il n'existe pas de «non-comportement». Nous sommes en quelque sorte condamnés à la communication; notre présence est à elle seule un message, une information disponible aux autres. Il n'est question ni d'intention ni de choix; dès que deux individus sont en présence, il y a communication. «Pour le groupe de Palo Alto la communication, c'est le comportement global et non pas seulement l'étroite bande du langage parlé[7]». Dans ce cas, les négociateurs ne sont jamais vraiment silencieux. Bref, ils ne peuvent pas ne pas négocier.

---

5. Pour une discussion plus spécialisée de cet aspect, voir Dionne, P. et Ouellet, G., «Théories paradoxalistes et négociation collective: les rituels de la communication à la lumière de l'axiomatique de Watzlawick», *Systèmes humains*, vol. 2, n° 2, 1986.

6. L'expression «axiomes de métacommunication» est empruntée directement aux travaux de Paul Watzlawick *et al.*, *Une logique de la communication*, *op. cit.*

7. Layole, G., *Dénouer les conflits professionnels, l'intervention paradoxale*, Paris, Éditions d'Organisation, 1984, p. 28.

Qu'il s'agisse des conditions à réunir pour le maintien du dialogue ou encore de l'édification d'un discours commun, il y a toujours quelque chose qui se négocie. Ainsi, l'énoncé de Watzlawick est-il pour nous synonyme de «on ne peut pas ne pas négocier».

1er corollaire

On ne peut pas ne pas négocier

Prenons par exemple les rapports de bon voisinage. Comment s'y prend-on au juste pour signifier le désir ou non de communiquer, pour négocier la prise de contact ou écarter celle-ci? Deux voisins coupent leurs pelouses. Conscients de la présence de l'autre, ils sont déjà en communication. Si leur désir respectif est de nouer la conversation, chacun s'arrangera pour qu'au cours de ce travail leurs déplacements finissent par les rapprocher suffisamment pour qu'ils engagent l'échange. Si l'un des deux ne souhaite pas cet échange, il s'adaptera aux allées et venues de l'autre afin de rendre impossible la rencontre. Après quelques vains efforts, l'autre aura compris le jeu et, en bon voisin, ajustera ses déplacements en conséquence. S'il omet de le faire ou force la rencontre, l'échange risque d'être bref ou pénible.

De même, au travail, chacun à sa manière négocie la prise de contact, l'engagement à participer à la communication au-delà de la stricte conscience de la présence de l'autre. Ainsi, au fil des rencontres dans le corridor, par leurs attitudes les gens s'informent subtilement ou directement de leurs intentions. Choisir de se croiser rapidement, ou se limiter au bonjour d'usage, tout comme effectuer un signe de la main accompagné d'un changement de direction, tous ces comportements peuvent servir à préciser les intentions de chacun. Également, nos rituels comportementaux informent sur notre désir de prendre contact, même quand nous les accomplissons par automatisme. Quelle que soit l'intention, une information circule et chacun s'y adapte. À ces moments-là, nous négocions tout simplement l'engagement dans la communication, et parfois sans mot dire, car tout est clair pour chacun.

En matière de négociation collective, même si les rituels d'initiation diffèrent, le manège se poursuit là encore. Les négociateurs adoptent des comportements qui mettent en évidence l'état de la communication. L'attitude la plus classique consiste à déclarer les négociations ouvertes ou rompues; ces déclarations précisent la nature de la relation en cours à un moment donné. De la même façon, laisser sans réponse le dépôt de propositions revient à suspendre l'engagement dans la communication en réduisant l'échange à un seul message: «non pour l'instant». Il serait plus subtil mais non moins clair de réclamer du temps pour étudier attentivement les propositions déposées. Somme toute, le jeu ne s'interrompt jamais[8].

2ᵉ axiome

Toute communication présente deux aspects: le contenu et la relation, tels que l'un et l'autre s'englobent et conséquemment sont des métacommunications

---

La relation est métacommunication parce qu'elle nous dit comment recevoir le contenu[9]. Or, on ne peut définir de relation entre des partenaires sans un échange de contenus qui en précisent la nature. Une causalité circulaire relie ces deux principes[10]; ils sont toujours présents simultanément. Pour l'étude du processus de négociation, cet axiome indique la nécessité d'une analyse multidimensionnelle des comportements observés. À titre de métacommunication, contenu et relation prescrivent l'un sur l'autre, autant qu'ils décrivent. Voilà une autre manière de dire qu'une communication ne se borne pas à transmettre une information, elle induit en même temps un comportement[11]. Dans ce cas, le négociateur non seulement transmet une information qui porte sur un sujet et sur la relation à laquelle il participe, mais encore, par son comportement, il cherche à induire une réponse à ces deux niveaux.

Ainsi, lorsque quelqu'un frappe à la porte d'un collègue et que celui-ci l'invite, du regard ou autrement, à entrer dans son bureau, dès les premiers instants la relation autant que le contenu de l'échange se négocient. Si le visiteur s'excuse d'interrompre le travail de l'autre en précisant n'en avoir

---

8. Pour une étude détaillée de ce thème, voir Dionne, P. et Ouellet, G., «Théories paradoxalistes et négociation collective: les rituels de la communication à la lumière de l'axiomatique de Watzlawick», *Systèmes humains*, vol. 2, n° 2, 1986, pp. 31-43.

9. *Ibid.*, p. 49.

10. Dionne, P. et Ouellet, G., *La Gestion des équipes de travail*, Québec, Gaëtan Morin Éditeur, 1981, p. 182.

11. Watzlawick, P. *et al.*, *op. cit.*, p. 49.

que pour quelques instants, l'acceptation de cette entrée en matière signifie deux choses précises: d'abord que son collègue accepte sa définition de la relation (je dérange, je suis le débiteur); ensuite que ce collègue accepte qu'il propose un sujet de discussion. Comme le hasard fait parfois bien les choses, au moment de la rédaction de ce paragraphe, une secrétaire entrait dans notre bureau en s'excusant et nous demandait de l'aider à déchiffrer l'écriture d'un collègue. Ce à quoi nous nous sommes prêté volontiers pour nous en amuser par la suite.

Dans le domaine des relations de travail, les situations intéressantes à cet égard sont fort nombreuses; voici une illustration de ce fait. C'est bien connu des gens du milieu que lorsque la négociation est en cours, l'employeur ne s'adresse pas directement aux employés pour les informer sur l'évolution de la négociation. Ce rôle est alors réservé au syndicat[12], et tout manquement à cette norme serait suivi de réactions bien senties. La relation est censée être claire pour les parties: l'employeur ne peut se substituer au syndicat, quel que soit le contenu à présenter. Lors des négociations de 1981 et 1982 dans le secteur public, le gouvernement québécois et les syndicats se sont échangé des arguments à travers les journaux; les deux parties ont ainsi manqué aux règles d'éthique traditionnelles en la matière. Le gouvernement s'adressait directement aux employés pour expliquer ses propositions et le syndicat, par ses réponses, maintenait le rituel. Qui avait commencé ce jeu importe peu; l'escalade était assurée par les comportements de chaque partie. Ni l'une ni l'autre n'était forcée de poursuivre celle-ci[13]. Retenons seulement de quelle façon les parties s'en accommodèrent: toutes deux tentèrent d'en tirer avantage sans manquer de faire porter l'odieux de la situation sur l'autre.

Sur la base des deux axiomes de métacommunication de Watzlawick et al.[14], il est possible de formuler quatre autres corollaires qui traduisent la manière dont s'oriente l'analyse du processus de négociation du réel quand on prend pour toile de fond la communication.

---

12. Cette affirmation s'applique à certains systèmes de relations industrielles. Dans d'autres, les règles du jeu diffèrent.

13. Cette situation s'apparente à ce que Watzlawick et al. (Une logique de la communication, op. cit.) nomment «l'escalade symétrique» et se compare à une course aux armements; chacun dit alors répondre aux agressions ou intentions agressives de l'autre.

14. Notez que nous avons modifié le second en élaborant le point de vue voulant que le contenu soit métacommunication, un aspect que Watzlawick accepte sans pour autant le développer.

1ᵉʳ corollaire

Toute communication est à la fois prescriptive et descriptive

L'aspect descriptif des comportements des négociateurs révèle des visions de la réalité et de la relation qui les unit[15]. Sous leur aspect prescriptif, ces mêmes comportements exprimeraient des effets attendus, révéleraient une influence souhaitée, bref seraient une invitation au conformisme. Ainsi, le fait d'affirmer qu'il fait beau ou que la situation économique est mauvaise équivaut à promouvoir une version du réel. Le percepteur intériorise des données de l'environnement et propose une version du contexte. Ces affirmations sur les conditions atmosphériques et sur la situation économique ont aussi une dimension prescriptive. Elles sont une demande implicite, puisqu'elles dictent des critères d'évaluation qui fondent ces énoncés. Pour convenir de la justesse de ces versions du réel, il faut admettre les critères qui sous-tendent les énoncés. Cette analyse suggère donc une double lecture des événements.

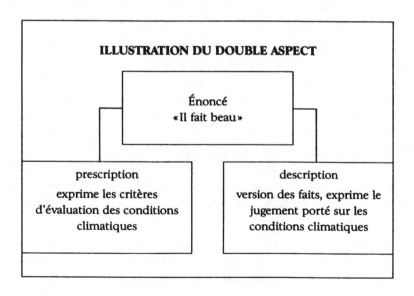

ILLUSTRATION DU DOUBLE ASPECT

Énoncé
«Il fait beau»

prescription	description
exprime les critères d'évaluation des conditions climatiques	version des faits, exprime le jugement porté sur les conditions climatiques

15. Bandler, R. et Grinder, J., *The Structure of Magic I*, Californie, Science and Behavior Books Inc., 1975, p. 35.

Les discussions sur l'avortement qui ont eu lieu, surtout en 1988, entre les partis politiques canadiens à la Chambre des communes se prêtent au même type d'analyse. Le gouvernement conservateur a proposé un vote libre pour trancher la question visant à savoir s'il faut adopter une loi plus ou moins favorable sur ce sujet. Les libéraux et les néo-démocrates s'y sont objectés, prétextant que le gouvernement avait lancé un débat dont il avait perdu le contrôle et qu'il avait peur de mettre en jeu son droit de gouverner. On l'a accusé de se cacher derrière un vote libre.

Quand les conservateurs ont proposé un vote libre, ils ont suggéré qu'on ne pouvait régler une question si personnelle en forçant les députés à suivre la ligne du parti. Ils ont donc avancé une version du réel qui forcerait chaque député à répondre selon sa conscience. Cette manœuvre supposait que ce débat dépassait la mission d'un gouvernement, s'élevait au-dessus de la partisanerie. La réponse des partis d'opposition suggérait plutôt que l'on inverse cette définition du réel, qu'une question aussi grave et importante exige du gouvernement qu'il se compromette, quitte à se présenter devant le peuple s'il le fallait. Le scénario est le même en ce qui concerne la négociation de l'accord de libre-échange entre le Canada et les États-Unis. Ces exemples s'avèrent intéressants parce qu'ils mettent un phénomène en évidence: chaque groupe prescrit des critères d'évaluation de la situation et propose une version du réel qui les accompagne. Comme ces réels opposés se fondent sur des critères prescrits par les comportements de chacun, le débat donne lieu à une escalade sans fin d'arguments.

Certes, tous les débats qui prennent cette forme particulière n'ont pas les mêmes répercussions et ne génèrent pas des réactions émotives d'une telle intensité. Ils ont toutefois en commun d'être des jeux où il ne peut y avoir qu'un gagnant[16]. Le quotidien fourmille d'exemples de ce type, tels que les querelles entre les parents et l'adolescent, ou entre les partisans de deux équipes. L'abondance des exemples ne devrait cependant pas nous faire perdre de vue l'essentiel: cette double portée de la communication colore tous les affrontements et même les ententes. De plus, elle rappelle combien le langage parlé représente une mince partie de la communication; pour s'en rendre compte, il faut d'abord dépasser les interprétations conventionnelles.

La double lecture des propos du négociateur transforme son discours en un exercice de promotion d'une version du réel et de règles à admettre. On découvre dans cette particularité du phénomène deux axes qui guident

---

16. Cette affirmation s'applique si on omet toute redéfinition. Nous reviendrons sur ce point.

l'observation: la promotion d'une réalité et l'appel au conformisme quant aux critères d'évaluation d'une situation. Les corollaires qui suivent précisent quels aspects du discours seront étudiés à partir de ces deux axes.

2e corollaire

Il n'existe pas de communication sans sujet

Partant du point de vue que tout le monde est forcé de communiquer, il n'y a qu'un pas à faire pour constater que l'information qui circule se rapporte nécessairement à un sujet[17]. Par exemple, la personne qui refuse par son silence de répondre à une question réaffirme continuellement son désir d'interrompre l'échange sur un sujet et exprime une revendication: qu'on lui en reconnaisse le droit. Dans ce cas, le sujet est clair, il s'agit du refus de l'échange, comme nous l'avons signalé auparavant.

Dans la même perspective, dès qu'un individu accepte l'échange, nécessairement il y a un ou des sujets en jeu. Par exemple, en matière de relations de travail, accepter de discuter la proposition adverse, c'est la reconnaître comme sujet (niveau du contenu) et en même temps admettre que l'autre introduit un sujet (niveau de la relation). Ces sujets ont une grande importance car ils sont les ingrédients à partir desquels les négociateurs édifieront une version de la réalité qu'on appellera plus tard le «contrat collectif»! Cette lecture de l'interaction s'applique autant aux relations de travail qu'à la vie de couple.

Les sujets de discussion concernent des versions du réel que les négociateurs désirent maintenir, transformer ou encore faire disparaître. Aussi l'observateur aura-t-il avantage à dresser le répertoire des versions de la réalité mises en avant. C'est un point de départ pour l'analyse du processus en cours. Les discussions sur les échelles salariales autant que celles sur un traitement conjoint du salaire et des avantages sociaux constituent des exemples de sujets possibles. La procédure de grief en serait un autre. De cette manière, les négociateurs deviennent des vendeurs de réalités et de leurs effets.

De façon similaire, les relations de couple évoluent et, à la longue, certains sujets deviennent même interdits. La lutte pour l'émancipation féminine

---

17. Il peut y en avoir plus d'un à la fois.

témoigne du fait que les versions du réel peuvent être remises en cause, au point que la femme et l'homme des années 80 ont renégocié leurs rapports à bien des égards, comme en rendent compte le nombre accru de femmes au travail et leur accession à des postes de commande. En bref, les rôles de chacun ont été renégociés, la convention a changé ainsi que la nature de la relation entre les parties.

Dans un autre domaine, celui des relations parents-enfant, la même dynamique prévaut. Après un certain temps, celui qu'on appelait tendrement le petit Philippe devient un homme affranchi, maître de sa vie. Habituellement, ces transformations s'échelonnent sur plusieurs années, ce qui explique qu'on se retrouve la plupart du temps devant le fait accompli. Ainsi en va-t-il de l'élève et du maître : tout se renégocie au fil des sujets de communication et les relations se transforment. Un troisième corollaire décrit comment les sujets de discussion prennent une importance stratégique ; pour constater ce phénomène, les relations de travail sont un univers privilégié.

3ᵉ corollaire

Sur tout sujet de communication, les parties ont un avis ou en développent un

Les sujets de discussion introduits par les parties risquent d'être inclus dans la convention à venir et de teinter la réalité sociale qui émergera du processus. Pour cette raison, les négociateurs ne peuvent se permettre de rester indifférents devant un sujet. Ils développent donc une argumentation légitimée par l'utilisation de données puisées dans l'environnement, pour l'intégrer dans la vision du réel dont ils font la promotion ou pour l'en exclure. Ils peuvent de la sorte accepter à l'occasion l'introduction d'un sujet en vue d'obtenir la discussion d'un autre sujet. Toutefois, leurs argumentations sont intéressantes principalement parce qu'elles consacrent le caractère acceptable ou non des discours tenus sur un sujet. Ainsi, quand les salaires et les avantages sociaux sont discutés en bloc, tout discours de revendication qui s'appuie sur des comparaisons fondées sur un seul élément du sujet devient inacceptable. En ce sens, l'avis développé par une partie prescrit des critères et, du point de vue stratégique, rend accessible la prescription de règles du jeu. Cette dimension se retrouve également dans la vie de couple.

Si l'on prend le cas des couples qui vivent leur union en mettant tous les revenus en commun et qu'on le compare à celui d'autres conjoints qui préfèrent une contribution selon les revenus des partenaires quand vient le temps d'assumer les charges du foyer, on retrouve cette même idée d'un discours acceptable ou non qui soit négocié. Dans le premier cas, l'épargne individuelle a une valeur symbolique et peut être transformée en bien commun pour défrayer les coûts d'un voyage, si les circonstances le demandent. Dans l'autre cas, il se peut que l'un des partenaires parte seul et que la chose semble légitime. Or, pour que ces couples en viennent à adopter ces modes de vie, ils ont dû en négocier les aspects à un moment donné, lesquels colorent aujourd'hui leur vie. Pour paraphraser le discours des experts en relations de travail, on se retrouve devant deux conventions collectives fort distinctes. Ce type de situation est intéressant car il met en lumière un phénomène : l'effet des comportements passés sur la négociation du présent. Dans le cas du couple qui met tout en commun, discuter de l'utilisation de l'épargne d'un des partenaires ou proposer cette discussion est un discours acceptable alors que dans le cas de l'autre couple, il faudrait redéfinir la convention pour autoriser cette discussion, obtenir du partenaire une ouverture qui ferait de cet aspect un sujet de discussion acceptable. Et encore, le résultat pourrait laisser la situation inchangée ou conduire à un prêt de l'un à l'autre. Cette situation serait absurde pour le premier couple dans l'état actuel de sa convention. Aussi, comme les choses ne sont pas immuables, un quatrième corollaire complète la perspective.

4ᵉ corollaire

Tout avis est une tentative pour influer sur un réel en construction et sur la relation en cours

À la manière des joueurs d'échecs, les négociateurs déplacent leurs pièces sur un échiquier imaginaire, c'est-à-dire passent d'un comportement à un autre. Chaque avis, quel que soit le comportement qui le rend accessible, est une recherche d'influence sur la situation. Une menace de grève ou de fermeture, une déclaration à la presse, une proposition spécifique sur une clause, voilà autant de comportements qui correspondent au déplacement de pièces sur l'échiquier. De même que les joueurs d'échecs visent un objectif, prendre le roi, de même les négociateurs aspirent à influer sur les résultats du processus en cours, une convention à signer qui leur soit favorable. À cette fin, ils tentent également d'imposer une relation qui serve leurs intérêts. Les appels à la négociation de bonne foi, à la justice, à l'équité, au sérieux dans l'analyse et l'interprétation des données de l'environnement ainsi qu'au respect des rites et conventions en usage sont autant de comportements qui illustrent des mouvements de pièces vers un objectif précis. Ce sont, en fait, des pressions visant à provoquer des ajustements dans les discours de l'autre et dans la relation en cours. Il y a négociation tant du réel en devenir que de la nature de la relation qui y conduira. Il en va de même des relations parents-enfant.

À la pré-adolescence, même quand l'enfant tente de contrer l'influence du père ou de la mère, ses chances d'émancipation sont minces. Puisque les parents perçoivent leur enfant comme étant encore incapable d'assumer complètement sa vie, il n'est pas question de mettre en doute leur bonne foi, ils délimitent pour lui un rayon d'autonomie et tentent de l'y maintenir. Par leurs divers comportements – discipline, questions, surveillance, encouragement, remontrances ou autres –, ils visent à faire respecter les frontières auxquelles l'enfant réagit en tentant de les repousser. Dix ans plus tard, si l'enfant en question avait au départ 13 ans, tout cela aura changé à la faveur de la dynamique des échanges qui auront marqué l'adolescence[18] et l'entrée dans l'âge adulte[19]. Ainsi en va-t-il du travail, où le jeune employé affronte une dynamique semblable et devra négocier sa crédibilité avec son entourage. Dans ce contexte, le corollaire énoncé conduit à proposer l'idée que la négociation du réel et de la relation entre les parties correspond à une dynamique qui mène sur une plus grande échelle à la création d'une réalité sociale qu'on finit par appeler «la Réalité». Pour illustrer cette affirmation, il conviendrait peut-être d'apporter de nouveaux arguments. Cependant, nous préférons clore cette discussion par la présentation d'une histoire sans parole dont nous fûmes témoins et qui nous surprit par la simplicité de la démonstration.

Quand David a 20 mois et Goliath 30 ans...

La situation met en présence un homme dans la trentaine et une enfant de 20 mois à peine. Le tout se passe dans la salle d'attente d'une clinique

---

18. Ce terme décrit mal le phénomène car il laisse croire que seul l'enfant évolue ou doit le faire alors qu'il s'agit nettement d'une période d'intense renégociation de la relation parents-enfant.

19. La même remarque s'applique à ce terme.

médicale et le jeu est le suivant : l'homme joue avec ses clés et les fait tinter ; l'enfant s'intéresse au manège et s'approche pour saisir l'objet qui l'intrigue, du moins en apparence.

Amusé par la curiosité de l'enfant, l'adulte l'attire par son manège, mais dès que l'enfant parvient à portée des clés, il les éloigne brusquement, laissant l'autre pantois. Sans se décourager, l'enfant tente à plusieurs reprises d'arriver à ses fins, mais toujours sans succès. À travers ce jeu, l'adulte semble dire « tu les veux, viens les prendre », mais, plus encore, « tu es à ma merci, ta satisfaction dépend de mon bon vouloir ». Il y a donc là également une nette relation de dépendance.

Au moment où la mère de la fillette commence à être agacée par le jeu de cet étranger, l'enfant modifie ses allées et venues. Elle s'approche de sa mère, se penche sur son sac à main qui est posé à ses pieds et, l'air triomphant, en ressort deux trousseaux de clés qu'elle se met à agiter en regardant celui qui l'a fait marcher pendant quelques minutes. Éclat de rire général chez les observateurs, l'enfant vient de mettre fin au jeu à son avantage. Inutile d'insister sur la fierté de la mère qui admire cette présence d'esprit de la bambine ou encore de décrire la mine déconfite de l'adulte battu à son propre jeu ! Cette anecdote savoureuse montre que le comportement est un message et que le langage parlé n'est pas essentiel à une communication claire. Il y avait là une dizaine de témoins du jeu qui firent connaître à celui qui en paraissait le meneur leur plaisir devant son dénouement. Tout cela, sans qu'un seul mot soit échangé. Si on regarde cet événement à la lumière des axiomes et corollaires proposés, une lecture intéressante devient possible.

1er axiome

On ne peut pas ne pas communiquer

De prime abord, le jeu n'implique que l'adulte et l'enfant. Or toutes les personnes qui étaient présentes faisaient partie du phénomène de communication en cause. Par leur attitude attentive, elles manifestaient leur intérêt et l'homme en tirait satisfaction, comme ses coups d'œil réguliers vers le groupe le montraient. Peut-être signifiaient-ils «regardez comme je la taquine». Le saura-t-on jamais? L'important, c'est que tous étaient dans le jeu, engagés dans la communication, y réagissaient, qu'ils l'approuvent ou non.

1er corollaire

On ne peut pas ne pas négocier

Dès le départ, la situation impliquait une négociation des rôles de chacun. Pour n'en illustrer qu'un aspect, certains individus ont joué le rôle de figurants, soit les observateurs du jeu de l'adulte et de l'enfant, y compris la mère. Rien n'aurait empêché que quelqu'un intervienne dans l'interaction; mais peut-être l'attitude de la mère devint-elle pour tous un message signifiant de laisser se dérouler l'action. Plus évidente, la négociation entre le maître des clés et l'enfant porta sur la façon dont le jeu devait se dérouler selon le point de vue des participants, affrontement que le «public» déclara remporté par l'enfant. Ce jugement était à sa façon l'émergence d'une version de la réalité négociée par les individus en présence dans le contexte du jeu des clés.

2e axiome

Toute communication présente deux aspects: le contenu et la relation, tels que l'un et l'autre s'englobent et conséquemment sont des métacommunications

---

Ramenons le contenu à l'essentiel: l'adulte dit «tu veux les clés, viens les prendre»; l'enfant dit «je les veux, je viens». En ce qui concerne la relation, par la répétition du jeu, l'adulte exprime «c'est moi qui décide si tu auras les clés» et l'enfant le conteste en revenant à la charge, «je les aurai malgré toi».

2ᵉ corollaire

Toute communication est à la fois prescriptive et descriptive

Sur le plan descriptif, on peut lire «regarde les belles clés» et voir l'enfant répondre par son comportement «oui, elles sont belles, je les veux». Sur le plan prescriptif, l'adulte indique, par la répétition du jeu, qu'il entend demeurer le patron et l'enfant, par sa réponse répétée à la stimulation, paraît revendiquer une transformation des règles qui prévalent.

3ᵉ corollaire

Il n'existe pas de communication sans sujet

Le sujet de discussion entre l'adulte et l'enfant est fort clair: il s'agit de la possession des clés. Celles-ci sont le centre de l'interaction que chacun alimente par ses comportements, les observateurs y compris.

4ᵉ corollaire

Sur tout sujet de discussion, les parties ont un avis ou en développent un

Ici aussi, la situation est limpide. L'adulte affirme constamment que les clés lui appartiennent et qu'il n'a pas l'intention de les prêter car elles lui permettent de diriger le jeu. Cet avis, l'enfant le saisit après quelques vains efforts et le conteste en persistant dans ses tentatives; il conteste la définition du jeu proposée par l'adulte, les effets de la relation.

5ᵉ corollaire

Tout avis est une tentative pour influer sur un réel en construction et sur la relation en cours

Aux yeux de tous, l'adulte se présente en maître du jeu et des clés tout en imposant sa domination sur l'enfant; il s'agit d'une relation de pouvoir. Et voilà que le comportement de la fillette éclaire tout autrement la situation au moment où elle s'empare fièrement des clés de sa mère pour contester le jeu: «j'ai des clés, garde les tiennes!» Il s'agit d'une contestation évidente de la relation de pouvoir proposée par les gestes de l'adulte et d'une modification du sujet de discussion: «tu as des clés, j'en ai aussi; puisque tu ne veux pas partager, je m'amuserai seule». Ce que fit la fillette à la surprise de tous. Ainsi l'enfant avait-elle modifié le réel en construction et la relation en redéfinissant le jeu à son avantage par le biais d'un comportement imprévu.

Quand on élargit la perspective ouverte par cette conclusion de l'interaction, force est d'admettre que nombre de petites entreprises sont nées de situations qui ressemblent étrangement à cet affrontement. Un employé entreprenant souhaite concrétiser une idée, mais son supérieur immédiat s'objecte: l'employé quitte l'organisation, choisissant de redéfinir la situation selon ses aspirations. Plusieurs entrepreneurs surgissent de la sorte dans des domaines fort divers. Mais à l'arrière-plan, se profilent toujours ces règles de la construction d'un réel médiatisé par la communication; le scénario demeure constant. Nous sommes maintenant prêts à étudier les stratégies que les mythes dont nous avons fait état rendent possibles.

4

Les mythes qui interviennent dans l'organisation : stratégies de communication et illustration de la portée des nouveaux mythes

S'adapter aux effets de la communication

Le moment est venu de tirer profit de cette chasse aux mythes qui tire à sa fin. Quel intérêt y aurait-il, en effet, à débusquer le gibier si un plantureux repas ne venait couronner tous ces efforts? Et pour atteindre cet objectif, une révision des principales constatations présentées dans les pages précédentes se révèle nécessaire. Nous nous proposons d'extraire de ces mythes des énoncés qui concerneront cette fois la marge de manœuvre que laisse la communication, car il en est une qui risque d'intéresser les plus fins renards... tout comme les gens de bonne volonté. En réalité, ces mythes révèlent la présence d'une multitude d'avenues qui s'offrent aux personnes qui souhaiteraient obtenir par la communication un effet quelconque sur les autres ou se prémunir en partie contre l'influence d'autrui. Une fois de plus, la perspective se veut amorale. En dehors de cet aspect, il importera de se rappeler qu'il n'existe aucune technique magique de la communication ; l'idée maîtresse de cet ouvrage stipule que l'adaptation aux effets demeure la voie la plus sûre, elle suppose un effort dans le but de gérer sa participation à la communication.

Ier mythe
L'être humain dirige la communication

================================ *Stratégie : imposer la communication*

L'affirmation n'a pas résisté à l'étude : comme le signalent les auteurs associés à l'école de Palo Alto, la communication ne suppose aucunement une volonté quelconque de participation. Les individus sont forcés de communiquer, la communication se poursuit quoi qu'ils fassent pour l'interrompre ou pour s'y soustraire. Du point de vue pragmatique, cette constatation attire l'attention sur deux aspects importants : nul ne peut nous exclure totalement du phénomène et, réciproquement, cette avenue nous est interdite. Voilà qui modifie les règles du jeu. La prise de conscience de cette particularité de la communication peut même déboucher sur des manœuvres stratégiques, selon les intentions poursuivies. Il devient possible d'exercer de la pression sur les autres ; à l'opposé, on peut leur éviter celle-ci en partie en jouant sur l'impossibilité de se soustraire au phénomène.

Lors d'une session de formation à la gestion s'adressant à des groupes paritaires composés de trois représentants patronaux et de trois représentants syndicaux, l'animateur observait le comportement d'un directeur de la production. Celui-ci manifestait son refus d'engagement par une attitude de retrait à peine voilée[1]. Il participait très peu aux échanges, se contentant d'être présent physiquement, le regard perdu, l'air détaché. La stratégie d'animation utilisée laissait le choix à l'expert : il pouvait intervenir ou patienter. L'animateur opta pour une action immédiate.

Comme la session commençait à peine, l'animateur sentait le besoin d'agir avec tact ; une remontrance directe et explicite lui semblait hors de question parce qu'il redoutait qu'elle perturbe le climat[2]. Aussi, dans ce contexte où régnait la prudence, le choix de sa stratégie se fonda sur l'hypothèse voulant qu'un geste symbolique suffirait. Et comme il était hors de question d'apostropher ou d'ignorer ce directeur sans affecter l'atmosphère qui régnait dans les autres équipes en présence, il se limita à manifester sa désapprobation en se plaçant debout, juste derrière le récalcitrant, sans intervenir verbalement.

Au début, ce manège causa un certain malaise. Les participants cherchaient à établir la raison de cette présence et les regards lancés reflétaient

---

1. Le directeur révéla, beaucoup plus tard, qu'au départ il avait été forcé par la direction d'assister à cette rencontre de formation.

2. Sept entreprises étaient représentées, une seule était en cause.

un inconfort. Contre toute attente, l'animateur se contenta de distribuer quelques sourires apaisants et resta sagement derrière sa «victime» durant une quinzaine de minutes. L'homme comprit rapidement l'intention liée au geste car il entreprit de participer aux activités. Ce changement intervenu, l'animateur se retira quand il devint évident que le jeu était amorcé. Durant les activités qui suivirent, l'intervention se poursuivit surtout par le biais d'un contrôle à distance. Quand ce directeur paraissait se retirer, l'animateur s'installait dans son champ de vision et le fixait des yeux intensément. Dès qu'il était perçu, ce rappel à l'ordre générait d'autres ajustements et servait à maintenir la pression créée par la stratégie initiale. Progressivement, le problème se résorba et ce participant se révéla un précieux collaborateur pour son groupe[3].

Il existe un lien direct entre cette stratégie qui servit l'animateur et la remise en question de ce premier mythe! Il avait fondé son intervention sur l'impossibilité pour cet individu de se soustraire à la communication. Par le seul rappel de sa présence, qui permettait d'affirmer tacitement son rôle de superviseur et son intention d'exercer ce rôle, l'expert était parvenu à modifier la participation à la communication d'un individu dans un groupe de travail. L'effet dépassa les limites à l'intérieur desquelles l'animateur avait défini le problème car les autres membres de l'équipe participaient au système d'interaction en cause. Ils tentèrent dès le départ de trouver une signification à la présence de ce dernier. Leurs regards et les allusions au fait qu'on les surveillait rendaient cette recherche évidente. L'impossibilité de se soustraire au phénomène pave donc la voie à des interventions très diversifiées.

2ᵉ mythe
Il n'existe qu'un niveau de langage qui se manifeste par les écrits ou la parole

================*Stratégie: utiliser les autres langages*

Comme les travaux de synthèse d'Yves Winkin[4] l'ont établi, la communication se produit toujours à plusieurs niveaux simultanément; elle est un phénomène global. Il apparaît même évident que souvent l'essentiel du

---

3. À la fin de la session de formation, le directeur de la production révéla qu'il avait fort bien compris le message et avait même pris plaisir par la suite à observer la manière dont il était transmis, au point de feindre parfois de se retirer pour mettre à l'épreuve le superviseur.
4. *La Nouvelle Communication*, Paris, Seuil, 1981.

message réside dans les gestes, le ton de la voix, les mimiques, les rituels, ou simplement dans la façon de faire les choses. Et ces divers langages donnent aux individus engagés dans une communication la possibilité de revendiquer une foule de choses sans même les énoncer. Dans cette ligne de pensée, les gestes les plus simples, car ils font partie de nos rituels publics, peuvent se révéler des plus efficaces. Lors d'un colloque auquel nous participions dans la seule intention de nous informer, nous avons été engagés dans une dynamique fort révélatrice de l'effet de ces langages cachés.

Au fil de nos déplacements dans le hall d'une salle de conférences, nous nous sommes tout à coup retrouvés dans un groupe d'individus qui nous étaient étrangers. Badinage conventionnel, présentation rapide des personnes, bref un rituel classique s'est enclenché. Un autre individu s'est approché et aussitôt le groupe s'est élargi pour l'accueillir. L'un des membres du groupe se chargea de présenter les autres et, comme le protocole l'exigeait, il signala notre présence: «MM. Dionne et Ouellet, auteurs du volume sur les équipes de travail.»

À ce moment, le nouveau venu interrompit la présentation pour déclarer: «J'ai lu votre ouvrage, et justement j'aimerais vous parler d'un projet que je mène avec d'autres collègues...» Son intervention provoqua une réaction immédiate chez les personnes présentes: elles s'éloignèrent discrètement pour nous laisser seuls en compagnie du nouveau venu. Elles cédèrent l'espace occupé et se soumirent de la sorte à l'interprétation qu'elles firent d'un message qui n'avait pas été formulé explicitement.

Sans que le nouvel arrivant les y invite ouvertement, ces personnes ont compris de l'entrée en matière du nouveau venu et probablement de nos réactions devant sa proposition que le rituel était modifié. Elles ont vu dans ce qui survenait une invitation à se retirer. Les vérifications directes que nous avons pu faire, par la suite, de cette hypothèse le confirmèrent, chacun avait déduit de l'attitude du nouvel arrivant et de notre réaction qu'il devait se retirer, que nous souhaitions nous retrouver seuls avec notre nouvel interlocuteur.

Cette séquence d'interaction révèle la possibilité d'utiliser des rituels particuliers dans le but d'influencer le comportement des personnes en présence. Il est de même relativement aisé de vérifier cette hypothèse au moyen d'une foule d'expériences anodines. Par exemple, si on regarde attentivement un inconnu avec lequel on est seul dans un ascenseur, ou celui-ci nous adressera la parole ou il manifestera son inconfort d'une manière quelconque si le manège se poursuit suffisamment longtemps. Dans le même ordre d'idées, quand un individu en aborde un autre en s'en approchant de plus en plus, dès que la distance correspond pour l'autre à une zone d'intimité, il se produit toute une série d'ajustements.

Un jour qu'un membre reprochait au président d'une assemblée une décision qu'il avait prise, celui-ci réagit en utilisant ce stratagème qui consiste à violer la zone d'intimité de l'autre. La réaction fut immédiate. Dès qu'il s'approcha au point de se trouver dans la zone d'intimité[5] de son interlocuteur, à moins d'un bras de distance, le ton agressif de sa voix disparut et son discours se fit beaucoup plus conciliant. Abandonnant son attitude initiale, le membre récalcitrant en vint à déclarer qu'il comprenait et acceptait la décision prise même si elle l'indisposait. Le président avait brisé le rituel et transformé la relation en jouant sur la distance. L'utilisation des effets cachés de la dynamique de la communication lui avait donné un avantage stratégique. Questionné sur les raisons de sa conduite, le président admit qu'il utilisait régulièrement cette tactique en de telles circonstances.

Cette anecdote montre que l'utilisation quotidienne de l'espace est à sa manière un langage. Les travaux d'E.T. Hall sur la proxémie comparée fournissent d'ailleurs plusieurs illustrations à ce propos. On y trouve entre autres des cas assez humoristiques relatant comment la confusion en diplomatie peut naître de l'ignorance de ces phénomènes entre groupes culturels distincts. Or, il est possible à qui connaît les règles du langage du groupe culturel auquel il appartient d'utiliser les rituels spatiaux et les automatismes qui les accompagnent dans le but d'influencer ses pairs. Ainsi, au Québec, le simple fait de s'approcher d'un interlocuteur sans égard à la zone d'intimité amène à reculer celui qui sent son intimité violée. À l'interlocuteur qui lui reprochait sa décision, le président avait répondu en s'approchant jusqu'à ce que l'autre en perde ses moyens. Le sourire aux lèvres, le président confessa qu'il avait ainsi acculé au mur des interlocuteurs bien plus costauds et bien plus haut placés que lui... Il ajouta que rares furent ceux qui parvinrent alors à identifier clairement la raison de leur malaise, et plus rares encore ceux qui osèrent l'exprimer. Et pour ceux qui le firent, l'effet demeura le même.

---

5. Cette zone varie selon les cultures. Selon les données fournies par E.T. Hall, cette stratégie qui consiste à violer la zone d'intimité peut se révéler inefficace dans certains cas si on se limite à jouer sur l'espace physique.

3ᵉ mythe
La communication se limite à l'information explicite
qui circule entre les individus

================*Stratégie : jouer sur l'implicite*

La communication dépasse en complexité les impressions laissées par l'information explicite ; elle est un phénomène global dans lequel le non-dit compte autant, et parfois même davantage, que ce qu'on exprime directement. Dans les entreprises, l'influence de ce qui s'ajoute aux messages explicites devient évidente dès qu'on observe comment se déroulent habituellement les négociations entre les responsables de la direction pour le partage de la masse budgétaire.

Dans une organisation publique dont le nom ne sera pas révélé, la répartition des fonds se décide à partir de discussions entre le directeur des affaires administratives et chaque responsable d'unité pris isolément. Le rituel est à ce point ancré dans les mœurs que tout responsable d'unité sait que le budget proposé au départ est inférieur à celui qu'il peut obtenir. On comprend tout de suite que le directeur se garde une marge de manœuvre afin de pouvoir céder quelques dollars de plus à chacun de sorte que tous y trouvent satisfaction. Ainsi, par l'utilisation de ce rituel, le responsable parvient à respecter son budget global et ses subalternes tirent satisfaction des gains symboliques qu'ils effectuent.

Ce rituel demeure la plupart du temps implicite car chacun feint d'en ignorer l'existence durant les négociations. Or la connaissance de la dynamique qu'il suppose permet diverses réactions stratégiques. Entre autres, un subalterne pourrait tenter d'inverser le jeu dans le but de placer son supérieur en position de faiblesse. Intrigué, un responsable d'unité à qui nous avions signalé cette possibilité risqua l'expérience. Dans un contexte similaire, il ne revendiqua pas de fonds additionnels ; il déclara qu'il acceptait la première offre de son supérieur. Amusé par son audace, il anticipait l'inconfort de ce dernier devant son attitude car il réalisait fort bien que son supérieur avait prévu des demandes de sa part et qu'il désirait le traiter aussi bien que les autres. En quelque sorte il avait triché. Devant le malaise de son supérieur, le subalterne ajouta une condition qui se résumait à troquer sa soumission contre la promesse de son patron de lui venir en aide si des difficultés survenaient en cours de route. Ainsi, le jeu s'était nettement déplacé du contenu négocié à la relation entre les parties. L'entente fut conclue sur cette base.

Cette stratégie tirait sa puissance du fait que si le directeur des affaires administratives refusait la proposition, il devrait alors de lui-même améliorer son offre pour respecter l'équité qu'il s'était imposée. Il n'avait d'ailleurs rien à gagner à mettre un responsable d'unité dans l'embarras en lui donnant un budget insuffisant. Le rituel était donc faussé par le refus d'une demande de fonds additionnels de la part du subalterne. Dans ces circonstances, coincé entre l'obligation d'établir un nouveau rituel et celle de céder sur un principe, le directeur préféra accepter ce changement de perspective, au risque d'avoir à verser davantage que les sommes prévues.

Dans ces circonstances que le responsable d'unité avait provoquées, le problème de celui qui tient les cordons de la bourse était qu'il ne pouvait établir dans quelle mesure son subalterne demanderait de l'aide. Il devait lui faire confiance, et c'est là une situation difficile à accepter quand on détient une telle responsabilité; il faut éviter autant que possible de se trouver dans cette position. Mais le jeu fut si rapide – il dura environ 10 minutes plutôt qu'une heure comme d'habitude – qu'il se rabattit probablement sur la possibilité de fermer le robinet à la fin de l'année si l'autre abusait.

Cette négociation budgétaire illustre comment les règles du jeu peuvent devenir le véritable enjeu d'une communication sans jamais être évoquées. Notons au passage qu'un directeur administratif averti aurait pu réagir en discutant explicitement d'autres règles du jeu afin de renverser à son tour la situation. Mais la discussion de cette contre-stratégie risquerait de détourner l'attention vers un aspect accessoire de la question. Comme cet ouvrage porte sur la pragmatique de la communication, il convient de mettre surtout l'accent sur l'avantage stratégique qu'on trouve à dépasser le premier niveau d'analyse, lequel se limiterait à l'étude de l'information qui circule entre les partenaires, pour inclure la relation dont les effets comptent tout autant.

4ᵉ mythe
La signification d'une communication réside dans les propos échangés

================== *Stratégie: manipuler les éléments du contexte*

Le phénomène devient de plus en plus évident: les rituels jouent un rôle important dans l'interprétation que font les participants d'une séquence de communication. L'affirmation selon laquelle la communication dépasse les propos échangés s'illustre aisément quand entrent en jeu, par exemple, les habitudes développées par des individus dont les contacts sont fréquents et durent depuis un certain temps. Même quand les rituels en question se révèlent difficiles à déceler pour l'observateur, ils demeurent présents. Toutefois, la difficulté s'estompe quand survient un changement de partenaire dans la relation.

Dans une petite entreprise de la région de Québec, le président du syndicat et le directeur des ressources humaines avaient développé l'habitude de se rencontrer pour discuter des mesures à prendre dès qu'un problème d'application de la convention collective survenait. Ces ententes à l'amiable leur avaient permis de régler bien des litiges sans avoir recours à l'arbitrage. Un événement modifia soudainement l'ordre établi. Lors d'une assemblée houleuse, l'unité syndicale se donna un nouveau président. Un nouveau partenaire était désigné.

Au lendemain de cette élection, le directeur des ressources humaines révéla au conseiller qui nous rapporta l'anecdote que le président élu vint le rencontrer. Pour l'essentiel, la discussion fut brève; il venait déposer trois griefs qui remettaient en cause des décisions administratives prises depuis déjà quelques semaines. Devant cette attitude, le directeur tint pour acquise l'intention du nouveau président de réactiver une approche conflictuelle et il ne proposa pas à son interlocuteur d'envisager la possibilité d'une entente à l'amiable. En contrepartie, le président du syndicat interpréta ce silence comme une déclaration de guerre car il attendait de son vis-à-vis une réaction temporisatrice. Le contexte semblait totalement modifié. Le conseiller rencontra bien des obstacles avant de parvenir à dénouer l'impasse et à comprendre comment elle s'était créée. L'histoire des rapports qui avaient existé entre les acteurs précédents s'avéra le fil d'Ariane. Elle dictait le respect d'un rituel.

L'ancien président du syndicat avait l'habitude de rencontrer le directeur sans déclencher le mécanisme de règlement de conflit par le dépôt d'un grief. Ensemble, ils se livraient à ce rituel de la discussion préalable avant de poser quelque geste concernant les dossiers en cause. Comme le nouveau président du syndicat avait agi de façon contraire, dès le dépôt des trois griefs, le directeur en avait déduit que l'autre refusait cette avenue. Quant au président, il ignorait totalement qu'il avait modifié l'ordre habituel des échanges et ne parvenait pas à comprendre pourquoi son vis-à-vis demeurait si froid dans ses rapports. Il avait alors conclu des événements survenus que le directeur désapprouvait son élection et voulait le faire sentir aux syndiqués en adoptant la ligne dure, une impression que les employés partagèrent bientôt.

Cet imbroglio, qui se dénoua finalement sans trop de dommages, confirme que le contexte d'une interaction contient des indicateurs pour l'interprétation d'une communication. Quand ces indicateurs sont déplacés ou modifiés, les comportements des individus en question se situent aussitôt dans un nouveau cadre de référence et les propos échangés ne sont plus perçus de la même façon. La dynamique qui caractérise de telles interactions révèle la possibilité de déclencher ou de désamorcer un conflit par la manipulation ou le non-respect des repères établis qui s'intègrent au contexte. La procédure administrative fait partie de l'ensemble des repères qui se prêtent à une action stratégique de cette nature.

Dans une organisation parapublique, la convention collective prévoit que le directeur d'unité doit informer son supérieur immédiat des recommandations d'embauche qu'il soumet au vice-président. Elle prévoit également que le supérieur immédiat doit fournir au vice-président un avis précisant s'il recommande ou non la candidature présentée. Or, comme cette procédure paraissait un peu lourde à la longue, les directeurs d'unités prirent l'habitude de transmettre le dossier à leur supérieur immédiat en l'invitant à l'acheminer au vice-président en même temps que sa recommandation. Ce raccourci utile acquit une dimension symbolique après quelques années, au point que tous étaient convaincus de sa conformité avec les prescriptions de la convention collective. Or cette habitude eut pour effet pervers d'accroître le pouvoir du supérieur immédiat qui l'utilisa de telle manière qu'il lui arriva souvent de retourner au directeur de l'unité concernée toute candidature non approuvée, sans en informer le vice-président. On prétendait ainsi ne pas encombrer inutilement la machine administrative.

Un directeur d'unité nous consulta sur le problème que lui causait cette dynamique au moment où l'une de ses propositions d'embauche était ainsi bloquée par son supérieur. Nous l'invitâmes à respecter à la lettre sa convention en prenant soin de le prévenir des effets éventuels d'une telle attitude; il accepta de jouer le jeu. Il expédia donc le dossier de cette candidature litigieuse au vice-président en signalant au passage que son supérieur immédiat avait une copie du dossier et qu'il lui ferait parvenir sa recommandation durant les jours suivants. Le geste causa du remous...

Quand le vice-président découvrit le jeu de chacun, il reprocha au directeur d'unité d'avoir de la sorte mis son supérieur dans l'eau chaude aux yeux de tous, puis il indiqua qu'il rendait le maintien de la tradition conditionnel au respect de l'obligation de lui faire parvenir tous les dossiers étudiés. Le directeur d'unité gagna son point, la candidate obtint le poste convoité. Sa relation avec son supérieur ne fut jamais la même par la suite, celui-ci ayant appris de ces événements à le respecter.

Cette situation illustre comment on peut manipuler une procédure administrative pour transformer une relation et comment le refus de s'adapter au contexte peut entraîner une réorganisation des comportements. Dans le cas rapporté ici, l'effet principal fut de rétablir le partage des pouvoirs dans l'organisation et de restaurer des mécanismes tombés en désuétude. Or ce résultat aurait pu ne jamais être atteint si un grief avait été déposé à propos du non-respect d'une clause de la convention. En effet, comme cette pratique durait depuis plus de trois années, un arbitre aurait pu évoquer les précédents pour juger de l'interprétation adéquate de la convention et débouter le directeur d'unité.

5ᵉ mythe
Le fait de communiquer ou non repose sur un choix individuel

== *Stratégie : lire le non-dit*

Les propos de Paul Watzlawick nous ont permis de constater l'impossibilité de ne pas communiquer, d'apprécier les limites d'une marge de manœuvre qui se résume à une seule possibilité, soit celle de manifester le refus de participer à la communication. Une fois cet aspect clarifié, il appert qu'on introduit toujours de la sorte une réponse à l'interaction en cause, on livre toujours de l'information, même quand on manifeste le désir de ne pas s'engager. Du point de vue pragmatique, ce phénomène prend une grande importance. Par exemple, quand dans une situation de négociation l'impasse survient, le fin limier sait tirer avantage de cette impuissance à se soustraire à la communication pour vérifier des hypothèses ou certaines de ses perceptions, vérifications qui par la suite rendront possibles des ajustements au contexte. À ce chapitre, la lecture des réactions non verbales devient un exercice intéressant.

Un jour que nous participions à une négociation à titre d'observateurs dans le cadre d'une recherche exploratoire, un événement en apparence anodin attira notre attention. Devant la présentation des propositions patronales, l'équipe des négociateurs syndicaux réagissait de deux façons fort distinctes. Quand l'offre paraissait satisfaire leurs attentes, les représentants s'installaient confortablement dans leurs fauteuils avant de manifester une réaction explicite au porte-parole patronal. Si, au contraire, ils étaient indisposés par l'offre, ils s'avançaient sur le bout de leurs fauteuils. Ce manège, dont nous avons vérifié la signification par le biais de l'entente conclue et des échanges qui eurent lieu une fois la négociation accomplie, prit à nos yeux une importance capitale et nous servit à asseoir une stratégie.

Avec le négociateur de la partie patronale, nous nous sommes d'abord attardés à passer en revue les clauses en suspens lors d'une pause café et nous avons tenté d'interpréter le «jeu du fauteuil» des représentants syndicaux. De cette analyse, nous avons déduit que plusieurs des clauses en suspens importaient peu au syndicat alors que d'autres semblaient cruciales. Aussi, après avoir établi à quelle conclusion souhaitait en venir la partie patronale, nous avons imaginé un scénario. Au départ, il s'agissait d'annoncer deux possibilités de règlement. La première mettrait l'accent sur l'obligation pour le syndicat de renoncer à des droits acquis comme condition préalable à des discussions qui porteraient sur les clauses salariales. Notre lecture du non-verbal de l'autre partie laissait croire que cette option serait inacceptable. La seconde proposition maintiendrait le statu quo sur les acquis apparemment remis en cause à la condition que le syndicat dépose ses demandes salariales finales et qu'il retire une demande que nous savions secondaire. Nous espérions ainsi connaître les visées réelles du syndicat sur les aspects reliés à la rémunération. Nous souhaitions par la même occasion préserver la marge de manœuvre du négociateur patronal car son mandat ne lui laissait que peu de liberté: l'offre monétaire maximale ne pouvait excéder 65 cents l'heure. La pause café terminée, les options furent soumises aux négociateurs syndicaux.

À notre grande surprise, nous avions visé encore plus juste que nous ne l'avions espéré! Dès la fin de la présentation des options offertes, l'équipe syndicale demanda à se retirer pour les étudier. Mieux encore, durant l'explication des deux solutions suggérées, à la lecture de la première, les représentants syndicaux s'avancèrent sur le bout de leurs sièges tout près de la table, manifestant ainsi leur insatisfaction, alors qu'ils s'installèrent confortablement dès les premiers instants de la présentation de la seconde. Nous avions touché la cible en allant au-delà de la règle de mutisme que s'était donnée la partie syndicale et en refusant de nous soumettre au mythe de la possibilité de ne pas communiquer. À leur retour, ils optèrent pour la seconde proposition et demandèrent une augmentation de 45 cents l'heure; le tout se régla rapidement. Il avait suffi de trouver les indices, puisqu'on ne peut pas ne pas communiquer; à partir de cette information, le reste n'était qu'une question de temps et d'habileté.

6ᵉ mythe
Le refus de communiquer met fin à la relation et, conséquemment, à la communication

======================================= *Stratégie: agir sur la relation*

Le bien-fondé de cette croyance a été remis en question: le refus de communiquer, entre autres se taire ou ne pas vouloir répondre, est un message qui sera matière à interprétation pour les autres. Et quand l'intention est révélée explicitement, rien n'y change, la relation demeure, l'information circule. Il y a toujours de l'information disponible. On ne la trouve pas nécessairement dans les dimensions sur lesquelles se porte d'habitude l'attention, mais cet aspect de la communication traduit la disposition proactive des autres vis-à-vis de leurs interlocuteurs en tant que parties de leur environnement. L'anecdote qui suit le montrera; la bonne foi des personnes n'est pas en cause, ni leur bonne volonté.

Dans le traitement d'un dossier pour lequel ils faisaient appel aux services d'un conseiller, le directeur des ressources humaines et son adjointe éprouvaient le besoin d'appuyer les conclusions de leur rapport sur des données statistiques. Ils confièrent donc le mandat au conseiller et lui demandèrent de transmettre ces informations dans les plus brefs délais. Honorant cette demande, le conseiller effectua les démarches nécessaires et produisit un rapport sommaire à cette fin. Au moment où il remit ce document, les responsables étant absents, il signala à la secrétaire du directeur adjoint que ce rapport était attendu. Or, elle confondit deux dossiers et lui répondit que tout était réglé, que ce document n'était plus requis. Le conseiller arrêta donc là ses démarches.

Une semaine plus tard, comme ses clients tardaient à le joindre, le conseiller se rendit à leur bureau afin de savoir où en étaient les choses. À sa grande surprise, on le fit patienter durant 20 minutes. Il s'interrogea car habituellement on le recevait dès son arrivée. Inutile de mentionner comment se déroulèrent les premières minutes de la rencontre. En guise de résumé, signalons plutôt l'essentiel de la confusion provoquée involontairement par la secrétaire. Les clients avaient interprété l'absence de réponse de la part du conseiller comme un manque de respect et leur décision de le faire patienter était en somme une façon de lui rendre la monnaie de sa pièce.

Même quand la chose survient involontairement, l'absence de message causée par le refus de communiquer ou le désir de couper la relation a un effet. Dans le cas présent, malgré la confusion, il y avait aux yeux du client un message en ce sens. Et comme ces messages même involontaires touchent surtout la relation, du point de vue stratégique leur effet se révèle souvent global: les gens concernés l'étendent à l'ensemble de la situation. Entre autres, il apparaît clairement dans notre culture que le fait de ne pas retourner un appel ou celui de ne pas répondre à une note de service sont des gestes qui peuvent être lourds de conséquences et qui risquent d'être perçus comme des offenses plus ou moins graves. Quelques actes comme ceux-là peuvent suffire à générer conflits et tensions dans l'organisation. Il y a donc là matière à stratégie, et même si on utilise parfois ces avenues sans trop y réfléchir, elles ont un effet sur les relations en jeu qui, elles, sont permanentes. L'absence apparente de réponse devient un message des plus directs à propos de la relation et donne souvent à penser qu'on la remet en question.

7ᵉ mythe
Durant une communication, l'information circule selon le principe du balancier
Stratégie: se libérer du rôle d'émetteur

Il est presque superflu d'affirmer que l'interaction est un puits d'informations. Plus encore, une communication n'a pas en principe de durée; ce sont les individus concernés qui lui en attribuent une! Cette perspective, qui repose sur la reconnaissance de la création de l'événement par la ponctuation des situations, permet de comprendre l'origine de certaines confusions qui surviennent à l'occasion entre individus de bonne foi. Dans le quotidien de l'administrateur, les exemples sont légion. Pour illustrer l'énoncé qui propose de se libérer du rôle d'émetteur, le cas d'un président d'assemblée inquiet qui est à la recherche d'informations qui lui permettraient d'anticiper les réactions des membres conviendra pleinement.

Un président d'assemblée doit déposer un rapport sur une question fort délicate. Il s'inquiète de la réaction des membres et souhaite surtout parvenir à anticiper le dénouement de cette question afin de s'y préparer le mieux possible. Il craint d'affronter un rejet de son diagnostic car l'unanimité est loin d'être faite dans le groupe, c'est du moins ce que ses consultations privées lui laissent croire. Juste avant la réunion, il nous présente donc la situation à partir d'un texte dont il nous fait la lecture. Il achève son intervention après quelques minutes en nous demandant des suggestions sur les gestes à poser. Nous conservons un instant le silence le plus complet puis nous lui demandons ce qu'il pense devoir faire. Le président reste pantois et déclare ne pas comprendre notre réaction, étant convaincu qu'il nous revient de répondre. Or nous l'avions déjà fait!

Comment légitimer une telle attitude si ce n'est surtout pour signaler à notre interlocuteur qu'il avait nié notre présence depuis le début de son intervention? Il avait en effet ignoré toutes nos réactions à son exposé car nous n'avions pas communiqué à sa manière, verbalement et en conformité avec le principe du balancier. Cet aspect une fois éclairci, il comprit les avantages qu'il pouvait retirer de notre proposition qui se limitait à confier la présentation du dossier à son adjoint. En agissant de la sorte, il lui devenait possible de tenter une lecture des réactions des membres de l'assemblée. Dans ce contexte, il devait cependant considérer la situation comme un dialogue car, malgré les apparences, lors de ces occasions où il semble n'y avoir qu'un acteur, l'information circule continuellement. À sa grande surprise, cette nouvelle attitude lui révéla qu'au pire, des aspects mineurs semblaient déplaire aux membres de l'assemblée, et encore, seule une minorité d'entre eux manifestait des réticences. Les éléments secondaires furent harmonisés à la satisfaction de tous et la décision fut prise à l'unanimité.

Cette anecdote remet en question une attitude des plus répandues chez les administrateurs et qui consiste à fonder leurs stratégies sur l'habileté du discours et, conséquemment, sur l'aptitude à convaincre un auditoire. Or, il faut bien l'admettre, l'une des stratégies appropriées en matière de communication interpersonnelle réside dans la capacité d'écouter pendant qu'on joue le rôle apparent d'émetteur pour mettre à profit l'information disponible. Les individus qui y parviennent jouissent d'un avantage certain car ils utilisent une information habituellement ignorée bien qu'elle soit disponible à tous. Il ne faudrait pas croire cependant qu'on y trouvera les arguments et les preuves qui assureront d'une emprise sur la volonté de l'autre. La communication n'a pas d'effet magique, et l'on peut aussi apprendre des observations effectuées qu'on s'est engagé dans une voie sans issue. Quand survient une telle situation, il reste toujours possible de remettre dans son contexte une proposition débattue en la qualifiant d'hypothèse déposée en vue d'amorcer les discussions. Cette attitude contribue alors à restaurer une relation en péril et suppose une vision à plus long terme.

8e mythe
En matière de communication, il faut se parler pour se comprendre

=============== *Stratégie : entretenir le problème*

Il vaut mieux écarter pour de bon l'illusion d'un automatisme fantastique de la communication qui viendrait exaucer le souhait formulé par beaucoup de gens selon lequel l'échange d'information est une condition suffisante pour se comprendre. Pire encore, ce mythe concerne un aspect seulement du phénomène, une intention poursuivie à l'occasion par les individus qui sont engagés dans la communication, soit celle d'être compris. Il n'est pourtant pas besoin de réfléchir très longuement sur la chose pour en arriver à la conclusion qu'on souhaite aussi, à l'occasion, ne pas être compris, surtout quand on se livre à ce jeu sciemment ou quand on cherche à se tirer d'embarras par la confusion. Toutefois, cette croyance en un pouvoir si grand attribué au simple fait de se parler ouvre la voie à différentes manœuvres stratégiques dont certaines tiennent du machiavélisme... Nous admettons avoir péché à l'occasion ; l'anecdote qui suit le démontre.

Un jour que l'un des auteurs occupait un poste de direction, il fut convoqué par son supérieur immédiat qui voulait discuter de leur divergence d'opinions à propos de la manière d'aborder la planification des charges de travail. Notre point de vue sur la chose était qu'il ne sert à rien de développer une politique de gestion des tâches dans le but de contrôler quelques récalcitrants alors que notre supérieur soutenait, à l'inverse, que de toute façon ceux qui travaillaient déjà ne verraient aucun changement car ils seraient en quelque sorte à l'abri de cette pression.

Au fil de la discussion, il devint très rapidement clair à nos yeux qu'un écart beaucoup plus grand nous séparait, lequel résultait de deux philosophies de gestion irréconciliables : le taylorisme bureaucratique s'attaquant à l'individu paresseux s'opposait à la nouvelle perception de l'individu au travail axée sur sa motivation et son désir d'actualisation. En définitive, jamais le débat ne se régla car il se déplaça sur un autre plan dont l'essentiel se résumait à trouver la façon d'amener l'autre à partager son point de vue. Après plusieurs rencontres, qui eurent lieu dans un climat que chacun qualifia d'harmonieux, une conclusion s'imposa : il n'y avait pas d'autres voies que la résignation. Or, Dieu nous pardonne, nous avions joué le jeu de manière à rendre tout autre dénouement impossible.

Nous savions ce dénouement possible dès le départ. Plus encore, nous étions conscient des moyens à prendre pour en arriver là. Il suffisait de consentir à la discussion sans jamais souscrire au point de vue de l'autre (maintenir la relation) tout en acceptant, sans modifier notre point de vue, les vicissitudes de notre approche. Bref, nous maintenions l'impression d'une ouverture. Sur la base de l'affirmation de notre supérieur selon laquelle on en viendrait à se comprendre si on se parlait, nous confessons avoir délibérément fait durer le problème jusqu'à ce qu'il renonce... Trois *avé*, un *Notre Père* en pénitence! La tentation était trop forte. Cette stratégie qui consiste à alimenter le débat se montre très efficace quand, entre le noir et le blanc, l'une des parties[6] n'admet pas même le gris. En reconnaissant les faiblesses de notre vision, nous encouragions notre supérieur à faire des efforts pour nous persuader; en refusant de céder, nous provoquions l'impasse.

9ᵉ mythe
Nous communiquons sur une base commune
== *Stratégie: redéfinir le contexte*

Le constat de l'effet des différences culturelles sur les schèmes d'interprétation de la communication de groupes distincts contredit l'hypothèse de l'existence d'une base commune, et les travaux de Hall[7] révèlent à quel point les bases de communication peuvent différer radicalement. Quand on ajoute à ces aspects le fait que les expériences de vie jouent un rôle similaire entre individus d'une même culture, malgré que l'effet se révèle alors plus discret, la complexité de l'interaction saute aux yeux. Comprendre cette absence d'uniformité des cadres de référence mène à la découverte d'autres voies stratégiques en matière d'adaptation aux phénomènes de communication car, il importe de le rappeler, l'intention de cet ouvrage demeure l'art de s'adapter aux effets de la communication même s'il peut éveiller d'autres préoccupations. Quand les illustrations fournies mettent en perspective des tentatives d'influence, il n'est pas pour autant question de prétendre qu'on identifie des comportements à succès. Aussi, afin de clarifier encore davantage à quel point une connaissance des principaux mythes de la communication débouche sur des adaptations variées, voire sur des effets précis, l'exemple qui suit montrera comment on peut se servir des cadres de référence individuels.

---

6. La règle s'applique aussi quand les deux parties n'admettent aucune nuance.

7. Voir les ouvrages cités dans la bibliographie.

Pour établir, dans le contexte des organisations, les effets de l'expérience individuelle d'un milieu donné sur l'interprétation d'une communication, il est intéressant de prendre pour exemple la planification de la charge de travail d'un professeur d'université. Dans cet exercice, il revient au départ au directeur du département de négocier avec chacun la charge d'enseignement qui lui sera attribuée. Les rebondissements imprévus qu'on y vit à l'occasion sont fort révélateurs des effets de la présence de cadres de référence divergents et surtout des avantages à en tirer au cours des efforts consentis pour s'adapter à la communication.

Lors de ses discussions avec un professeur, le directeur apprend que celui-ci ne sera pas disponible pour assumer l'enseignement d'un cours spécialisé qui apparaît à l'horaire du trimestre d'automne et pour lequel la demande est forte. Il réalise par la même occasion la situation de monopole dans laquelle se trouve le professeur, qui a été le seul à dispenser ce cours depuis sa création. Devant pareille difficulté, n'importe quel directeur cherchera aussitôt à instaurer une politique de mobilité des ressources de manière à éviter ce type de dépendance qui entrave la planification de l'offre de cours. Or, du point de vue du professeur, ce cours spécialisé lui appartenait symboliquement parce qu'il en avait été l'instigateur. Quand le directeur décida d'en confier la responsabilité à un autre professeur, en raison du manque de disponibilité du premier, le geste fut perçu comme une décision à caractère politique.

Dès que la décision du directeur parvint aux oreilles du titulaire original du cours, en proie à une colère à peine contenue, il accusa le directeur de vouloir tout simplement l'écarter définitivement. Il fallut donc clarifier le fait qu'un régime d'alternance des ressources s'imposait afin de répondre à la demande et qu'il n'était surtout pas question de recréer le même problème de rareté en écartant l'un des principaux intéressés. Présentée de cette façon, la situation permit l'établissement d'une règle du jeu à laquelle on ne pouvait se soustraire sans soulever un tollé général. Le professeur en fut quitte pour de subtiles excuses.

D'une manière plus générale, l'absence d'une base commune de communication ouvre des avenues stratégiques intéressantes. On y découvre comment la préparation d'un contexte d'interprétation pourrait éventuellement servir à légitimer une action politique discutable. Le principe fondamental demeure toutefois beaucoup plus large et rappelle le jeu du fond et de la forme dans la dynamique de la perception : toute modification du fond donne à la forme une signification différente[8]; ainsi la lettre O devient-elle le zéro quand on la place parmi d'autres chiffres.

---

8. Le recadrage s'apparente à cette dynamique.

Dans ce cas précis, l'alphabet est remplacé par les nombres en tant que fond qui donne sa signification à la forme. De la même façon, jouer sur le contexte d'interprétation peut transformer la signification d'un comportement. Les personnes qui ont connu les problèmes causés par le transfert de comportements d'une culture à une autre[9] comprennent fort bien ce phénomène. En ce qui concerne toutefois l'univers administratif, ou même quotidien, on découvre à ce chapitre que la vente d'un cadre de référence pertinent à l'interprétation d'une séquence de comportements peut se révéler beaucoup plus efficace que toute argumentation bien serrée. D'ailleurs, toute tentative dans cette direction replacerait l'acteur dans le contexte du mythe voulant qu'il faut se parler pour se comprendre. Encore une fois, on peut constater que les mythes dont il est ici question sont intimement reliés entre eux, ils ont un effet les uns sur les autres.

10ᵉ mythe
En matière de communication humaine, l'objectivité est possible

Stratégie: créer une marge de manœuvre

La subjectivité colore toute participation à la communication et seul l'espoir ou l'illusion de s'en rapprocher excuse la tendance par trop romantique de certains de prêter à leur lecture de l'univers une quelconque saveur d'objectivité. Souvent, le réalisme d'un point de vue décrit mieux les croyances des acteurs concernés, leurs schèmes de références, que la pseudo-réalité dont il serait paraît-il un fidèle reflet[10]. Or, quand des individus entretiennent la croyance en une objectivité possible en matière de communication, ils prêtent flanc à bien des manipulations alors qu'ils s'efforcent de la sorte de

---

9. Voir à ce sujet Dionne, P., Ouellet, G. et Fortier, M., *La Gestion de projet: concepts et pratiques*, à paraître aux P.U.Q.

10. Cette mise en garde s'applique également à cet ouvrage.

se prémunir contre de tels effets. Un rapide coup d'œil sur le quotidien de toute organisation nous montre que les situations de ce type abondent. Plus encore, elles paraissent échapper souvent à l'attention des personnes qui en sont les principales victimes.

Lors d'une réunion où devait se décider l'embauche d'une nouvelle ressource, une assemblée délibérante se donna pour règle du jeu l'unanimité des membres. Ceux-ci prétendaient qu'ils s'assureraient ainsi de rendre un jugement plus objectif et tout le monde s'entendait pour reconnaître qu'en y mettant le temps requis, le profil académique de la recrue et la nature de l'expérience qu'elle devrait posséder se révéleraient progressivement aux yeux de l'assemblée. De là surgirait une décision hautement objective, qui serait une garantie de son à-propos; pour tout dire, l'objectivité s'avérait non seulement possible, mais encore nécessaire.

Les discussions s'engagèrent donc dans cette perspective. Le résultat se révéla, contre toute attente, désastreux. Les accusations de mauvaise foi volèrent de part et d'autre et tout l'arsenal de reproches y passa. Après une heure, l'affaire frôlait la catastrophe. Pour ajouter au désagrément, le président signala à un certain moment que l'assemblée revenait progressivement sur les décisions prises et qu'en dépit des bonnes volontés manifestées au départ, des clans apparaissaient et durcissaient graduellement leurs positions. En quelque sorte, à vouloir satisfaire chacun, l'assemblée se dirigeait lentement vers une décision qui serait prise par les membres qui s'objectaient le plus ardemment, par une minorité regroupant ceux qui refusaient tout compromis!

Au moment où la situation paraissait sombrer dans l'impasse, l'un des membres laissa échapper une remarque dont l'effet fut explosif: «Dans le passé, j'ai été contraint à me rallier à des décisions alors que je souhaitais m'abstenir. Il semble bien qu'il y ait ici deux poids, deux mesures!» Le président saisit au vol la remarque et proposa aussitôt que l'on admette que la décision serait prise sur la base des avis «subjectifs» en présence, à la majorité des voix, tout en reconnaissant qu'on puisse s'abstenir ou s'objecter. Cette proposition qui faisait une entorse à la règle du jeu instaurée au départ permit de régler le conflit en quelques minutes. Or, et cet aspect caricatural est intéressant, une fois la décision prise et l'assemblée levée, quel que soit son point de vue, chacun prétendit être resté objectif.

Ce fait vécu, dont les composantes politiques ont été volontairement mises en veilleuse, montre combien les appels à l'objectivité peuvent se révéler problématiques. Se soumettre à de telles règles, ou encore y croire profondément, expose les plus fidèles aux habiles manœuvres des plus fins stratèges politiques qui, dans ces conditions, avec un minimum d'habileté et un appel à l'objectivité, peuvent rapidement rendre impossibles les solutions les plus acceptables.

11ᵉ mythe
La communication est un discours sur le réel

Stratégie: déchiffrer les comportements

Il a été possible de constater progressivement comment la communication met en présence différentes versions du réel. Au lieu d'un réel objectif qui existerait en dehors de soi et dont il faudrait s'efforcer durant toute notre existence de faire la conquête, la communication reflète plutôt la subtile édification d'une réalité jamais achevée dont les origines se perdent dans la succession de vérités éphémères qui émergent d'un complexe tissu d'interactions qui a pour nom la vie en société. Ce phénomène colore l'ensemble du vécu organisationnel; de façon plus évidente encore, il montre la délicate négociation des vérités temporelles qui servent de contexte d'interprétation aux comportements qui sont adoptés. En d'autres mots, dès qu'on croit en quelque chose, cette foi donne un sens au monde qui nous entoure et, dans ce contexte auquel ils s'adaptent, les comportements des individus peuvent renforcer des «vérités» tout à fait erronées!

Une petite entreprise de la région de Québec est en fête. La direction se réjouit car elle vient de réaliser un rapt intéressant: elle a finalement mis la main sur le meilleur vendeur de l'un de ses plus vifs compétiteurs. Tapis rouge déroulé, le nouveau venu fait son entrée en grande pompe; on s'attend à des prouesses de sa part. Aussi lui donne-t-on tout le soutien nécessaire, au point qu'il peut compter un mois plus tard sur un personnel technique dont les autres vendeurs n'ont jamais bénéficié... Résultat net après six mois: aucune progression des ventes, le doute remplace l'emballement, le rêve chavire.

Pour expliquer cet échec apparent, il faut à la fois mettre à l'écart l'idée d'une réalité stable et prendre en considération dans un contexte plus large cette action stratégique qui devient un message livré aux membres de l'organisation: il importe de lire au-delà des gestes qui furent posés la dimension cachée par l'intention poursuivie. L'équipe de direction avait déroulé le tapis rouge pour souligner la venue de ce nouveau vendeur. Convaincue d'avoir effectué un gain important, elle avait tout misé sur cette acquisition et mis en place tous les ingrédients de la réussite, à ses yeux du moins. En un sens, la situation se résumait à une équation banale : notre équipe de vente s'améliore, donc tout baigne dans l'huile, et comme nous avons ajouté un élément de qualité à cette force de vente, les résultats ne tarderont pas. Or c'était là tenir pour acquis le fait qu'aucun aspect de cette nouvelle situation ne rejaillirait sur le reste de l'équipe, si ce n'est positivement, et que tous se réjouissaient devant les événements.

Quand on passa en revue l'ensemble des ventes réalisées par l'équipe, durant les mois qui suivirent, la direction dut se rendre à l'évidence et accepter une hypothèse qu'elle avait au départ écartée quant aux risques associés à de tels gestes d'éclat. L'arrivée du nouveau vendeur n'avait rien changé jusque-là parce que les autres vendeurs avaient eu un moins bon rendement. Comme la direction aurait pu l'anticiper en faisant preuve de plus de prudence, ces derniers avaient réagi négativement parce qu'elle leur avait donné l'impression par ses comportements de n'avoir d'yeux que pour sa nouvelle idole ! Les discussions de couloirs révélèrent très clairement par la suite qu'il y avait derrière cette réaction de la rancœur, voire même de la jalousie. Une enquête plus directe menée auprès des personnes concernées confirma le bien-fondé de cette lecture des événements. L'administration dut reconnaître qu'elle était en présence de deux versions du réel fort distinctes et que sa gestion devait tenir pour vraies les deux perspectives. Aussi s'ajusta-t-elle en améliorant le soutien offert à toute l'équipe de vente, atténuant ainsi l'effet négatif des privilèges accordés au nouveau venu. Ce geste prit la valeur d'excuses symboliques, mais les premiers résultats positifs mirent plus d'une année à se faire sentir.

Cette anecdote permet de comprendre que les comportements de la direction étaient au départ un discours sur le réel pour l'équipe de vente en place. Malheureusement, elle n'avait jamais anticipé à quel point deux versions si différentes d'une même situation pouvaient émerger de ses décisions et définir des contextes d'interprétation opposés propices à l'apparition de résultats aussi négatifs. Et pourtant, la dynamique de cette situation s'étend à une foule d'événements quotidiens et précise les balises d'une action stratégique qui permet de bloquer une action par la promotion d'une version du réel qui rend inadmissibles certains comportements. Par exemple, la fonction de professeur d'université précise généralement une série de quatre activités dont celui-ci doit s'acquitter : enseignement, recherche, participation et rayonnement. Il suffit de valoriser l'une d'entre elles à l'excès, comme c'est souvent le cas de la recherche, pour que tous ceux qui mettent l'accent sur les trois autres deviennent des citoyens de deuxième classe. Ce problème semble s'étendre à l'ensemble des universités québécoises, quelles que soient les raisons invoquées pour légitimer cette orientation[11]. Ainsi, qu'il y ait mauvaise foi ou non, l'effet demeure le même. On peut promouvoir une version de la réalité, si discutable soit-elle, et de la sorte contribuer à l'institution d'un réel qui place l'entourage sur la défensive. Avec humour, on peut lire en filigrane que le réel des uns est l'enfer des autres!

12ᵉ mythe
Communiquer, c'est échanger de l'information
Stratégie: débusquer les effets attendus

Communiquer, c'est promouvoir une version du réel, participer à une négo-ciation et, plus encore, mettre en avant des conséquences qui en découleraient automatiquement, comme par enchantement. À ce titre, toute participation à la communication devient l'occasion d'une revendication qui peut aller de la simple reconnaissance de son identité à la prétention au droit tout à fait légitime de contrôler les comportements d'autrui et leur existence. Que de couples ont échoué sur ces écueils! Si excessive qu'elle paraisse, l'affirmation rend compte assez fidèlement de ces situations en apparence recevables, mais non moins graves, qui peuvent être assimilées à celle décrite par l'expression «hors de l'Église, point de salut». Dans l'organisation, le jeu se déroule au quotidien, dans des interactions moins dramatiques mais tout de même aussi contraignantes.

Un jour que notre département était engagé dans un processus de recrutement, nous nous sommes trouvés dans une position fort délicate et surtout assez inconfortable. La candidate que nous voulions engager s'était vu offrir un poste dans un autre département et elle hésitait à se joindre à nous. Plus encore, nous pouvions constater dans nos discussions avec elle que l'ensemble de ses arguments jouaient en notre faveur, à l'exception d'un seul: depuis dix ans, elle espérait obtenir un poste dans ce département rival et soudain elle voyait se concrétiser cette possibilité. Or nous tenions absolument à ses services. Nous nous sommes donc lancés à l'assaut, ce dernier terme rendant compte des stratégies qui furent utilisées.

Devant son hésitation, en tant que directeur nous avons tenté toutes les manœuvres permises. Discussions exploratoires, argumentations ration-nelles, mise en évidence des avantages offerts, promesses de soutien, nous

---

11. On argumente régulièrement des incidences financières de la chose pour légitimer l'importance accordée à la recherche.

avons, avouons-le, ressorti toute la panoplie des stratégies de séduction qui surgissent quand on sent nous échapper la perle convoitée. Mais aucune de ces stratégies ne donna de résultat, si ce n'est de retarder l'échéance. Nous sommes bien forcé de reconnaître, aujourd'hui, que nous avions négligé un aspect fondamental. Même si notre intuition nous signala très rapidement que la candidate s'évertuait à nous rendre acceptable, du point de vue pragmatique précisons-le, une décision déjà prise, nous avons persévéré, refusant d'admettre notre impuissance. Ce piège dans lequel nous sommes tombé montre bien que nous sentions la partie perdue. Avec du recul, nous l'admettons, nous avons tenté par tous les moyens de colorer la réalité de notre candidate dans l'espoir d'inverser sa lecture des options en présence. Victime de nos mythes, notre insuccès, loin de nous décourager, nous dicta plutôt un changement de stratégie.

En toute logique, ô misère de l'esprit! nous sommes revenu à la charge. Comme la candidate semblait réaliser un rêve, nous avons d'abord souscrit à sa décision. Puis, comme elle affirmait qu'elle préférait notre équipe de travail à l'autre, nous lui avons proposé une redéfinition de la situation. «Prenez votre décision librement... mais songez que vous aurez peut-être à travailler durant 25 années avec certaines personnes; cet aspect compte parfois plus que le champ disciplinaire.» Quelle honte que d'utiliser des arguments d'une telle nature pour bloquer chez une personne son désir de réaliser un vieux rêve! Cette stratégie se révéla également improductive; triste résultat pour nous, la candidate demeura sur ses positions. Les conséquences associées au discours ne se concrétisèrent jamais.

Honteux d'avoir été pris au piège, nous en tirons tout de même quelques leçons. Tous ces efforts pour modifier à notre avantage la réalité décrite par la candidate reposaient en fait sur des effets arbitrairement reliés à des versions de la réalité que la candidate, en toute délicatesse, ne contesta jamais. En quelque sorte, nous avions mis de côté la décision de la candidate et revendiquions le droit divin de construire un réel indépendant de sa volonté. Voilà qui donne à réfléchir, car nul n'est à l'abri de ce fait: une participation même intense à la communication n'assure pas une emprise sur le réel qui émerge de l'interaction. Les gens qui comme nous investissent temps et énergie dans ce type de stratégie s'exposent à d'amères déceptions.

Quand on replace ces événements dans leur contexte mythique, et il en va du message qui doit être clarifié, la décision de la candidate importait peu du point de vue de la pragmatique de la communication. Cette interaction illustre plutôt comment chacun des acteurs dépassa le simple échange d'information dans sa quête d'influence. À sa façon, la candidate proposa tout comme nous une version du réel et de ses conséquences. Si nous n'avions pas contesté son droit de se comporter librement sur cette base, le dénouement n'en aurait été que plus rapide. Quand l'attention de l'analyste passe de la tentative d'influence aux mythes qui la fondent, on découvre que la participation à la communication devient synonyme de la revendication de l'institution d'une réalité particulière qui s'accompagne d'effets précis sur les comportements en présence et surtout d'une occasion de concrétiser son identité.

13ᵉ mythe
Étudier la communication suppose
une préoccupation majeure pour son contenu
======================*Stratégie : analyser le dialogue sous le dialogue*

Les recherches et les théories les plus récentes reposent sur l'hypothèse d'une synonymie du comportement et de la communication; cette nouvelle approche inspire les chercheurs qui s'associent à l'école de Palo Alto. Dans cette perspective, il convient de tourner son attention vers les effets de la communication en tant que phénomène global plutôt que de s'attacher strictement au contenu. En plaçant au cœur des réflexions les comportements en présence, on parvient à se libérer d'une approche classique qui se caractérisait par une préoccupation excessive pour la transmission de l'information, le contenu des échanges. Cette orientation pragmatique, contre toute attente peut-être, est quand même plus répandue qu'elle ne le semble au premier abord. En matière de relations de travail, elle distingue de plus en plus la pensée du gestionnaire.

Quand s'amorce une négociation collective, les rituels frappent de plein fouet l'attention de l'observateur. Rédaction de textes par les parties, dépôt de propositions et de contre-propositions, discussion sur le contenu à inclure dans le projet de convention, argumentations, tous ces aspects et d'autres encore reviennent à la manière d'une litanie sans cesse renouvelée. Une vision s'impose de plus en plus, selon laquelle, pour comprendre la négociation, il faut lire au-delà des textes mêmes afin de saisir comment ce qui paraît souvent légitime aux yeux de l'un devient à ceux de l'autre tout à fait inacceptable[12]. En quelque sorte, il faut découvrir derrière un discours

---

12. Au moment de la rédaction de ce volume, les infirmières et infirmiers du Québec étaient en situation de grève illégale. Cela n'empêchait pourtant pas la présidente du syndicat d'affirmer que leur grève restait légitime!

formel sur des enjeux explicites qu'un dialogue plus subtil se produit simultanément, lequel concerne des règles informelles dont les effets peuvent
affecter la négociation, même quand elle devrait normalement se dérouler
sans difficulté. De ce point de vue, il est à propos d'affirmer qu'il se négocie
davantage qu'une convention.

Dans une entreprise dont la santé financière ne laissait aucun doute et
dont la convention échue avait été réglée dans l'harmonie, la négociation
d'une nouvelle entente se mit tout à coup à piétiner. Devant l'impasse, en
toute bonne foi le représentant patronal déposait texte sur texte dans l'espoir
de formaliser les ententes verbales intervenues lors des rencontres précédentes ; mais à chaque occasion la partie syndicale refusait de les sanctionner.
Le négociateur patronal s'impatientait, apportait des arguments, mais ses
efforts restaient vains. La situation perdura jusqu'au moment où il se posa
la question sur un autre plan que celui des termes utilisés dans ses écrits.
Il considéra la culture du groupe syndical à laquelle se rattachait son
opposant.

Au lieu de se pencher sur les textes en cours et sur le contenu des
échanges, il porta son attention sur l'information livrée par l'entremise du
négociateur syndical. Il se rappela alors que le syndicat en question formait
ses négociateurs selon une approche particulière dont l'une des règles d'or
exigeait qu'ils s'occupent de la rédaction des textes. À partir de cette constatation, le représentant patronal transmit la responsabilité de la rédaction
du contenu des clauses à son opposant. La négociation reprit aussitôt un
rythme plus acceptable !

En traçant uniquement les grandes lignes de l'interaction entre les négociateurs concernés, on constate à quel point une étude du seul contenu de
la communication au sens classique du terme aurait masqué la manière
dont se nouait l'impasse. Le blocage était maintenu par la volonté du négociateur patronal qui constamment poussait l'autre à s'objecter puisqu'il avait
la main haute sur les textes. Cette interaction met toutefois bien d'autres
phénomènes en évidence en ce qui touche la dimension stratégique.

Quand la perspective stratégique domine, la dynamique de la situation
révèle comment le négociateur patronal pouvait tirer avantage de cette règle
d'or. Il lui suffisait de réactiver le conflit en reprenant l'initiative de la
rédaction dès que les propositions avancées ne lui convenaient pas. En
agissant de la sorte, il provoquait l'impasse à nouveau, paralysant son opposant. Puis, mine de rien, il pouvait troquer ce contrôle contre un assou-
plissement de la position syndicale dans les discussions en cours. Voilà une
autre lecture des faits qui rappelle que la gestion de sa participation à la

communication dans une perspective stratégique requiert le dépassement du niveau d'analyse qui se limiterait aux contenus échangés. Une lecture des effets s'impose, laquelle rend possible une certaine forme de gestion de la relation qui en retour rejaillit sur les contenus.

14ᵉ mythe
La réalité sociale est donnée au départ
et nous communiquons autour de cet objet

Stratégie : évaluer les effets des réalités en présence

Cette impression d'une réalité qui serait donnée au départ et l'idée qu'on communiquerait autour de cet objet sont sans doute reliées à l'idolâtrie manifestée à l'endroit du langage parlé et écrit dont nous avons abondamment fait état ainsi qu'à la quête de certitudes qui les accompagne. Pourtant, dès qu'une vision plus pragmatique remplace cette préoccupation excessive pour ce qui est dit ou écrit, la réalité dont on s'inquiète trop souvent prend une tout autre apparence. Elle devient un consensus sans cesse renouvelé, parfois inconsciemment, et le jeu des comportements en présence révèle une recherche d'identité, de signification de l'existence que valide le succès dans la promotion d'une version de la réalité à laquelle on associe des conséquences déterminées.

Dans l'organisation, ce phénomène de recherche d'identité prend des formes diverses. On peut observer celui-ci dans les comportements théâtraux de certains directeurs généraux dont toute l'existence se limite à leur travail autant que dans ceux de certains représentants syndicaux qui font de leur rôle un sacerdoce. Il ne faudrait toutefois pas en conclure qu'on est en présence d'un mal existentiel atteignant tous les individus avec la même intensité. Cependant, comme Jean de La Fontaine le disait de la peste, tous en sont atteints. Du jeune cadre dynamique désireux de laisser des traces de son passage et de gravir les plus hauts échelons jusqu'à l'employé qui souhaite passer inaperçu et pour qui son travail reste au mieux le moyen de disposer des revenus nécessaires pour puiser ailleurs sa satisfaction, chacun s'affirme et revendique son dû. Quels que soient les fondements, chacun tente de bâtir un univers autour de lui et de concrétiser une identité dont il exige la reconnaissance de la part des personnes qui l'entourent.

Plus concret mais encore relié à cette quête d'identité qui se vit au quotidien, le drame vécu, lors de son entrée sur le marché du travail, par un étudiant détenant son M.B.A.[13] rappelle cet aspect. Jeune homme brillant au rendement académique exceptionnel, il s'était déniché un poste de direction dans une entreprise québécoise en plein essor. On misait sur lui pour développer de nouveaux marchés pour l'entreprise et rien ne permettait d'anticiper que des difficultés surviendraient.

Vaniteux comme un paon, le jeune homme exsudait la confiance en ses moyens, étant valorisé par l'obtention de ce poste et par les professeurs qui avaient sanctionné son rendement. En quelque sorte, le milieu académique le présentait comme un futur dirigeant prospère; ce «réel» émergeant du croisement des opinions définissait pour le jeune homme une identité forte que ne préoccupait guère la quête de la signification de son existence. Il était convaincu d'être déjà parvenu à un niveau d'actualisation de soi fort enviable. Malgré tout, les choses se gâtèrent petit à petit durant les six premiers mois sans qu'il comprenne pourquoi soudainement tout s'écroulait. Sans s'en rendre compte, les responsables de l'entreprise avaient en partie causé des difficultés inattendues.

L'entreprise avait confié à cette recrue un mandat général de développement. Elle pensait ainsi lui laisser toute la marge de manœuvre nécessaire et favoriser l'éclosion de son potentiel. Mais, deux mois plus tard, les progrès étaient presque nuls. Cette situation imprévue sema le doute chez les dirigeants et l'idée d'une erreur d'évaluation fit son chemin. Le bruit se répandit dans l'entreprise qu'il fallait admettre l'existence d'un abîme séparant l'université du monde réel des affaires. L'impression devint une certitude quand, en dépit des efforts qui furent consentis, après une année difficile, l'entreprise accusa un recul dans sa progression sur le marché, et cela pour la première fois depuis sa création! La situation ne pouvait plus durer.

Ébranlé par cette épreuve inattendue, le jeune homme commença alors à manifester des signes de dépression qui alimentèrent en retour cette nouvelle version de la réalité. Progressivement, cette situation mina son identité à ses yeux et à ceux des autres. Au plus fort de la crise, il rencontra un conseiller dans l'espoir de comprendre comment il en était arrivé là. Le conseiller découvrit finalement la clé du mystère.

Au cours d'un entretien, le conseiller remarqua un détail intéressant qui se révéla un point tournant pour le jeune homme. Durant ses études, celui-ci excellait à résoudre des cas, quelle que soit leur complexité. Or, dans l'entreprise, il n'existait aucun cas à résoudre, en dehors de ceux créés

---

13. Pour respecter le secret professionnel, nous avons éliminé les détails qui auraient permis d'identifier l'individu en question ou son conseiller.

par l'assemblage des informations pertinentes! Curieusement, ce brillant étudiant n'avait pas appris à construire une problématique d'organisation. Quand cette difficulté fut éclaircie, il apprit à inverser les étapes de sa démarche habituelle et à cerner le cas auquel il était confronté. Dans l'année qui suivit, il regagna de la crédibilité. Inutile de signaler à quel point cependant il est resté marqué par l'expérience.

Cette expérience, dont on n'a conservé que la trame, met en évidence la façon dont les comportements adoptés par chacun contribuent à forger l'identité des participants de même que le fait que le quotidien est beaucoup moins stable qu'on ne le croit généralement. Tous les comportements, ceux des professeurs et ceux de l'entreprise, avaient contribué au départ à valider chez ce nouveau directeur l'impression d'une compétence incontestable. Pourtant, cette image bascula progressivement et, sans l'intervention d'un conseiller, l'échec risquait de devenir irréversible. La croyance en une réalité stable, donnée au départ, permet le déploiement de diverses stratégies qui peuvent aller de la plus pure manipulation jusqu'à la construction de tout un système de motivation et de renforcement. À leur manière, les spécialistes des ressources humaines jouent constamment avec des paramètres dont la fonction essentielle reste la création de versions de la réalité propices à une mobilisation de l'intelligence humaine; seuls les termes changent: valorisation de l'excellence et qualité de vie au travail...

15ᵉ mythe
La communication porte sur des événements fondés objectivement

===================================== *Stratégie: dépasser les limites d'une situation*

La mise en relief de la ponctuation des séquences d'interactions qui conduisent à la création d'événements a pu semer le doute à propos de ce mythe. Cependant, il demeure intéressant de constater combien l'entreprise se révèle un lieu propice aux effets pervers d'une telle croyance. Le cas dont les éléments principaux sont rapportés ci-dessous donne une saveur plus quotidienne à des phénomènes dont la présence avait été signalée discrètement et montre de quelle façon se nouent les faits aux yeux des principaux intéressés.

Le directeur de la production d'une PME constate, lors de l'étude de certains rapports, que le pourcentage de retour de différents meubles usinés dépasse largement un niveau acceptable. Fort de ces données «objectives», il se livre à un examen attentif de la chaîne de production et découvre que la plus grande partie des retours est occasionnée par l'utilisation de matériaux abîmés. Il passe donc au crible un ensemble de solutions et en vient à la conclusion qu'il faut ajouter une machine de plusieurs milliers de dollars afin de corriger les défauts du bois dès le début des opérations. Il propose ensuite cette avenue aux dirigeants, qui l'acceptent avec enthousiasme et ne manquent pas de le féliciter d'avoir mené l'affaire rondement.

Heureux de cette solution, les dirigeants amorcent une consultation auprès des ouvriers dans le but d'établir la localisation optimale de la machine. Les opinions diffèrent et la décision se révèle difficile à prendre puisque les contremaîtres ne s'entendent pas sur ce lieu. Au cours d'une seconde ronde de consultation, une information nouvelle surgit. Les fournisseurs livrent le bois commandé et respectent les normes de qualité de la compagnie, mais aucun responsable ne supervise la réception des matériaux. Aussi, chaque livreur dépose le bois à sa convenance dans la réserve de la cour, sans autre formalité. À ce propos, un employé suggère aux contremaîtres de se donner la peine d'inspecter l'état des matériaux livrés. Surprise, ils découvrent aussitôt que le bois est manipulé avec négligence et que cela explique sa détérioration précoce. À la lumière de cette information nouvelle, la direction revient sur sa décision et tente une expérience. Elle crée un poste de responsable de la réception des matériaux. Les résultats sont on ne peut plus probants et le besoin d'une nouvelle machine disparaît.

L'intérêt de cette anecdote est qu'elle met en présence des dirigeants convaincus au départ d'avoir discuté d'événements fondés objectivement alors que leurs échanges avaient porté sur une version du réel née d'une ponctuation des faits. Or, de tels événements permettent de comprendre l'avantage dont jouit le gestionnaire qui étend ses consultations au-delà des limites qui paraissent convenir à une situation donnée. Plus généralement, quand l'attention se porte sur des stratégies qui permettent de s'adapter aux effets de la communication, ces événements révèlent également qu'une définition de la réalité peut être transformée considérablement par le simple fait d'accroître le groupe des participants autorisés.

16e mythe
La communication a un début et une fin
Stratégie: découper le réel autrement

Que la communication soit un flot continu apparaît maintenant comme une idée familière. La tendance à lui imposer un début et une fin remplit des fonctions utiles, nous permettant d'agir en fonction d'un contexte défini ; elle introduit cependant des limites en nous conduisant à des réalités multiples qui reposent sur des fondements que l'on peut interroger. À partir des réflexions présentées sur ce thème, il a été possible de réaliser que les relations interpersonnelles peuvent changer radicalement dès l'instant où l'on franchit les frontières tracées par ce mythe. Or, l'organisation fourmille d'événements en apparence anodins, dont on fait peu de cas, mais dont l'importance éclate à nos yeux dès qu'on accepte de remettre en question la version officielle des faits créée par la ponctuation arbitraire des interactions.

Un jour qu'un sujet délicat était débattu lors d'une réunion de notre département, la situation s'envenima entre deux interlocuteurs. Ils polarisèrent la discussion jusqu'à ce que le président intervienne pour demander le vote sur la proposition à l'étude. Puisque les protagonistes étaient d'avis contraires, la décision prise fit un gagnant et un perdant (aux yeux de l'assemblée). Quelques mois plus tard, lors d'une autre réunion, un débat surgit sur un nouvel aspect et le verdict fut inversé. Le vainqueur d'hier subissait un échec, obtenant une portion significative du vote malgré sa défaite.

Soucieux de préserver le climat, le président rencontra de façon informelle les membres de l'assemblée dans l'espoir d'ajuster son attitude à partir de leur lecture des événements. En passant de l'un à l'autre, il réalisa bientôt la diversité des opinions en présence. Certains percevaient la situation comme le résultat d'un règlement de comptes et déclaraient que l'équilibre était maintenant retrouvé. D'autres, au contraire, voyaient dans les récents événements le signe précurseur d'affrontements plus graves et prévoyaient des réunions de plus en plus pénibles. Devant ces avis contradictoires, le président ne parvenait pas à dégager une version des faits lui permettant de s'adapter aisément. Il décida alors d'agir sur les versions proposées en soumettant directement le problème à son assemblée. Aussitôt la question soulevée, l'effet fut saisissant. Chacun des protagonistes se défendit ardemment d'entretenir les intentions qu'on lui prêtait. Leur attitude offusquée et le malaise qu'elle généra rendirent l'assemblée houleuse, mais le dénouement fut très révélateur de l'effet obtenu. Plus encore, les réunions subséquentes se déroulèrent sous le signe d'une harmonie jamais connue jusque-là, à la surprise de plusieurs participants. L'intervention avait provoqué un nouveau découpage des événements et une nouvelle définition de la réalité s'était installée.

Cette situation illustre le pouvoir que confère l'aptitude à regrouper autrement les événements perçus comme composant une séquence de communication complète. En soulevant le problème, le président avait fondu en une seule séquence de communication trois réunions distinctes. Son habileté consistait à avoir provoqué un découpage qui invalidait l'hypothèse d'affrontements à venir. Il obtint même davantage car les attitudes se modifièrent et les réunions furent par la suite plus détendues. Ainsi, ce qui se présentait au départ comme un problème, une situation de conflit, s'était transformé en un instrument de changement.

Devant l'hypothèse de ce nouveau découpage des événements, il peut sembler raisonnable de prêter foi à l'analyse de l'aptitude du président. Or, elle est tout aussi fausse que l'idée d'origine supposant que les trois réunions en cause soient des séquences distinctes! Si certains demeurent malgré tout convaincus du bien-fondé de l'interprétation avancée, ils sont alors en mesure de constater que la manipulation des séquences de communication s'avère une adaptation stratégique efficace car leur attitude confirme l'effet stratégique identifié. Pour les personnes qui rejettent l'hypothèse sous prétexte que toutes les réunions évoquées font partie de la même séquence et incluent aussi les précédentes, la réponse est évidente. Quelle que soit l'hypothèse mise en avant, le simple fait d'en émettre une à propos des liens entre les séquences de communication revient à admettre indirectement que la communication n'a ni début ni fin! Et, à ce chapitre, l'objectif est atteint... Le mythe est dénoncé. Aux personnes qu'une telle gymnastique intellectuelle séduit, une relecture du 13ᵉ mythe[14] plaira certainement.

Les paragraphes précédents sont en quelque sorte un exercice de métacommunication. Or, les assimiler à un charabia masquerait l'essentiel. Les possibilités stratégiques dépassent largement ce qu'il est possible de démontrer dans ce livre : tous les mythes évoqués sont en relation d'interdépendance; les possibilités se révèlent pratiquement illimitées.

17ᵉ mythe
Un message clair induit compréhension et soumission
Stratégie : jouer la confusion

Fort peu d'auteurs n'auront pas souhaité, à un moment donné de leur existence, que ce mythe puisse au contraire rendre compte de la réalité. Pourtant, si cet énoncé avait quelque valeur, les bibliothèques universitaires occuperaient bien peu d'espace et nous n'hésiterions pas à consulter un

---

14. 13ᵉ mythe: étudier la communication suppose une préoccupation majeure pour son contenu.

spécialiste en la matière pour en tirer le meilleur profit dans la rédaction de ce livre. Malgré tout, nous avons consacré beaucoup d'énergie à tenter d'obtenir à tout le moins une certaine compréhension et nous continuons à imaginer que nos métaphores et nos illustrations contribuent à clarifier notre message. Dans les organisations, ce rituel auquel nous nous plions en dépit de nos craintes donne souvent des résultats désolants. Mais il y a plus humoristique à raconter sur l'effet magique du message clair.

En 1988, nous[15] avions accepté de participer à un colloque national sur «l'hôpital du troisième type». On nous y avait invités pour nos prises de position peu orthodoxes à propos du changement organisationnel et aussi en raison de nos intérêts pour la communication humaine au sens large du terme. Nous nous sommes donc mis à la tâche pour rédiger deux conférences distinctes, l'une sur le changement et l'autre sur la gestion des communications et de ses mythes; le jour venu, le tout se déroula à la plus grande satisfaction des organisateurs[16]. Nous avions bien travaillé et, quoique nous fussions désintéressés, nous espérions recevoir quelques commentaires à la sortie, car c'est habituellement à ce moment que surviennent les discussions les plus fructueuses. Or, rien ne se produisit. Les participants se limitèrent, à quelques exceptions près, à nous saluer respectueusement.

Sur le coup, cette attitude nous inquiéta quelque peu. Comme nous étions peu familiers avec le milieu des directeurs généraux d'hôpitaux, nous étions portés à croire que nous avions proposé des avenues et des principes qui intéressaient peu ce public. Quand, au hasard de nos déplacements, l'un de nous fut abordé par M. Georges Archier[17], la situation s'éclaira: notre intervention était percutante, nos exemples étaient très mordants, au point que, selon lui, nous avions dérouté l'auditoire et l'avions même provoqué à l'excès[18]. Nous souhaitions captiver les gens en montrant comment nos points de vue pouvaient s'appliquer à leur quotidien et, dans nos tentatives pour y parvenir, nous avons provoqué un rejet. Pourtant, quelques mois auparavant, nous avions en quelque sorte testé notre produit. Nous avions, en effet, publié un résumé de cette conférence dans une revue professionnelle et l'éditeur nous avait informés par lettre des nombreux commentaires

---

15. Les deux auteurs sont en cause dans cet événement.

16. Disons pour le bénéfice de nos lecteurs et lectrices qu'il y eut une panne de son partielle durant la conférence sur la gestion de la communication et de ses mythes, si bien qu'une partie de l'auditoire perdit l'essentiel des conclusions. Or, les gens se contentèrent de grimacer, ce qui nous laissa fort perplexes... sur le coup.

17. Coauteur avec Hervé Sérieyx de *L'Entreprise du troisième type* (Paris, Seuil, 1984) et de *Pilotes du troisième type* (Paris, Seuil, 1988).

18. M. Archier fut très diplomate dans sa manière de nous informer.

favorables qu'il avait reçus à ce propos. Peut-être devons-nous y voir un rappel de nos propres mises en garde selon lesquelles la communication dépasse le message de l'émetteur pour inclure tous les comportements en présence, les relations qui unissent les participants et le contexte de leur interaction[19]. Il arrive qu'un message trop clair et fort bien compris ait pour effet de nous rappeler les bienfaits de la confusion[20].

18e mythe
Avoir l'avantage dans les arguments
conduit à dominer l'autre par la communication
Stratégie : perdre pour gagner

Ce mythe est directement relié à l'idée qu'il est possible d'infléchir la volonté de l'autre par la seule force de ses certitudes et par une aptitude à les faire valoir. Si on peut accepter la possibilité de séduire par la rhétorique, et c'est là une arme dont les effets ont été largement vantés, il faut cependant s'élever contre la prétention que certains pourraient avoir de se substituer au libre arbitre des autres par cet art. Parfois, au contraire, un acteur peut dominer totalement au moyen de ses arguments et perdre toute influence justement pour cette raison. Aussi vaut-il mieux s'attarder à lire les effets de cette prétention pour éviter qu'une telle victoire ne conduise à un échec retentissant.

Un directeur de département s'efforçait sans succès de convaincre son supérieur d'engager un candidat possédant une large expérience mais dont la formation académique ne répondait pas aux exigences du poste. Dans cette université, la politique d'embauche stipulait de n'engager que des diplômés du troisième cycle[21] ou des recrues qui acceptaient de s'inscrire à de telles études. Tous les arguments avaient été utilisés et, en dépit des nombreuses rencontres où le directeur établissait systématiquement la valeur de ce choix, le dossier stagnait. La domination au moyen des arguments n'entraînait jamais d'ouverture, ni de gains.

Après quelques années, comme la situation de rareté de la main-d'œuvre qualifiée se maintenait, le dossier refit surface au bureau du directeur qui

---

19.   Layole dira à sa manière que l'émetteur se confond avec son message.

20.   Voir à cet effet Watzlawick, P., La Réalité de la réalité, confusion, désinformation, communication, Paris, Seuil, 1978.

21.   Détenteurs d'un doctorat.

n'avait pu dénicher de candidat répondant aux normes définies par cette politique. À la lumière de ses échecs antérieurs, il décida de ne pas revenir à la charge avec son argumentation. Il se plaça dans un contexte tout à fait différent en allant implorer son supérieur de lui suggérer des moyens de régler ce problème devenu permanent et se déclara ouvert à toutes les propositions qu'on voudrait bien lui faire.

Le dossier débloqua comme par enchantement quand on lui suggéra d'embaucher le candidat sur la base de son expérience, pour répondre aux besoins à court terme, et d'investir dans la formation d'un étudiant diplômé pour s'assurer à moyen terme que son équipe réponde le mieux possible aux normes en vigueur. Ainsi, ses supérieurs pouvaient-ils se montrer ouverts et permettre une mesure exceptionnelle qui aurait été irrecevable dans le contexte antérieur qui la définissait comme une brèche pratiquée dans une politique ferme.

Ce fait vécu indique comment l'attitude initiale du directeur avait contribué à durcir les positions au départ. Les autorités de l'université ne pouvaient faire preuve de souplesse sans signifier symboliquement par l'acceptation d'une telle demande qu'elles péchaient contre des politiques d'embauche dont la fonction visait à augmenter la qualification professionnelle du corps professoral. Dès que le directeur cessa de remettre en cause cette orientation en renonçant à faire ces efforts répétés, lesquels en quelque sorte insistaient sur l'irréalisme des attentes de l'institution à cet égard, la haute direction put se montrer magnanime. En d'autres mots, pour atteindre son objectif, le directeur devait perdre au jeu des arguments et rendre ainsi l'exception possible. Toute victoire sur une autre base aurait créé un précédent inacceptable. Quant à la mesure d'exception, elle fut interprétée comme une transition acceptable qui s'harmonisait avec une planification à moyen terme de l'accroissement de la qualification professionnelle des ressources humaines. L'anecdote rappelle à quel point, dans de telles circonstances, il importe de laisser à l'autre la possibilité d'une sortie honorable et confirme l'existence de risques qui découleraient des tentatives effectuées pour dominer la communication.

Dans une perspective différente, cette situation pourrait être analysée à partir du point de vue proposé par Paul Watzlawick[22] voulant qu'on communique pour se définir. L'attitude du directeur qui consistait à dominer la communication par l'argumentation s'assimile alors à une attaque portée contre la relation. S'acharner à prouver la valeur de sa décision devient dans

---

22. Dans *Une logique de la communication*, Paris, Seuil, 1972.

ce contexte un message sur la relation, une métacommunication. On peut y lire une contestation de la relation, une remise en cause du droit du supérieur hiérarchique d'édicter des règles. Voilà qui démontre encore une fois l'interdépendance des mythes qui jalonnent cet ouvrage et les divers niveaux possibles de stratégies.

19ᵉ mythe
En matière de communication, il faut se battre pour résoudre les divergences
====== *Stratégie : maximiser le point de vue de l'autre par l'abstention*

La détermination prescrite par ce mythe n'a d'égal que sa faiblesse pragmatique. L'exemple précédent aurait pu contribuer à démontrer cet aspect mais il convenait davantage pour clarifier la manière dont la domination apparente de la communication devient pure illusion quand on dépasse un niveau d'analyse qui se limite au contenu des échanges pour inclure la dimension relationnelle. Pour illustrer la remise en question de l'idée qu'il faut se battre pour résoudre les divergences, les relations de travail sont un domaine privilégié, car elles offrent une foule d'occasions de démontrer le caractère improductif d'une telle croyance. La situation mettra cette fois en présence deux administrateurs qui divergent d'opinions sur la gestion d'une clause de la convention collective.

La convention collective des chargés de cours d'une université québécoise stipule que le directeur de département est le seul responsable de la signature de tous les contrats d'embauche de ce type de personnel. Avant l'existence de cette convention, le vice-doyen à l'administration pouvait exercer un contrôle absolu à ce chapitre. Il pouvait appuyer ou invalider la décision d'un directeur ou encore embaucher sans le consulter un chargé de cours et l'imposer à un département.

Quelques mois après la signature de cette convention qui dictait de nouvelles règles du jeu, le directeur de département discuta du changement intervenu en cette matière avec son supérieur qui, en dépit des échanges, refusa l'idée que dorénavant il devrait obtenir la signature de son subalterne pour pouvoir agir. Il croyait si peu à cette nouvelle règle qu'il oublia, de bonne foi notons-le, de s'y soumettre à deux occasions. Le syndicat contesta les deux contrats signés par le vice-doyen, et celui-ci dut admettre la nouvelle dynamique qui redéfinissait le partage du pouvoir de décision.

Dans ce cas particulier, qui curieusement s'apparente au précédent, on pouvait avoir encore l'impression que la relation d'autorité était contestée par le directeur du département qui cherchait ainsi à accroître sa zone d'influence. Or, ce n'était pas le cas. Ce sont les administrateurs universitaires qui, en signant cette convention, avaient contribué à l'émergence d'une réalité nouvelle dont les effets faisaient d'un supérieur un subalterne. Le directeur refusa l'affrontement sur le principe avec son supérieur, mais les événements[23] démontrèrent de façon éclatante la justesse de son point de vue. En matière de communication comme au judo, c'est parfois l'adversaire qui fournit l'énergie nécessaire à sa chute.

La puissance des nouveaux mythes

Dans le chapitre précédent, nous avons présenté des propositions générales à propos de paramètres qui ouvrent la voie à une gestion des phénomènes de communication quand domine l'intention de s'adapter aux effets de l'interaction. Nous avons alors pu préciser le fait que toute communication suppose la présence d'un sujet de discussion qui est au cœur de l'interaction; là-dessus, les parties concernées développent ou ont toujours un avis, et cette situation concourt à faire des échanges entre les partenaires une occasion de tentative d'influence. Si on ajoute à cela un contexte où il devient impossible de ne pas négocier en raison des effets des accords pragmatiques découlant des comportements adoptés, il importe alors de traiter ces nouveaux mythes comme les précédents, de faire ressortir leur portée stratégique. Cependant, comme ils furent présentés davantage comme des méta-énoncés stratégiques, puisqu'ils touchent la dynamique de la communication plutôt que des croyances entretenues à son propos, ils seront traités d'une façon particulière.

Chacun des méta-énoncés stratégiques sera exposé séparément et on lui associera des illustrations qui rendent compte de l'utilisation qu'on peut en faire. De la sorte, après avoir revu l'essentiel des ajouts ainsi faits aux axiomes suggérés par Watzlawick et ses collaborateurs, ce chapitre se conclura

---

23. Pour que nous restions fidèles à notre remise en question du mythe de l'événement, vous comprendrez que nous utilisons ici ce terme en reconnaissant que les événements décrits résultent d'un découpage des faits qui repose sur la réalité créée par l'application et l'interprétation d'une convention collective particulière. Tout changement dans la convention pouvait entraîner un découpage différent.

sur la présentation d'une série d'énoncés à propos de la communication. Ces énoncés résument des hypothèses restées dans l'ombre en raison de l'approche métaphorique qui fonde ce livre.

On ne peut pas ne pas négocier

Identifiée comme un corollaire découlant de l'impossibilité de ne pas communiquer, la proposition selon laquelle on ne peut pas ne pas négocier conduit à des mouvements stratégiques des plus efficaces quand l'intention d'influencer se profile derrière la participation à la communication. Tout se négocie, depuis le sujet de discussion qui sera au cœur de l'interaction jusqu'à ce qui sera acceptable d'en dire, en passant par l'avis final qu'on émettra à ce propos et par la version des faits qui sera sanctionnée ou non par les comportements adoptés ensuite, soit la réalité émergente. Et comme toute communication concourt à la définition de l'identité des participants et qu'à ce titre une influence est possible, il devient intéressant d'illustrer cet aspect. On a à ce moment l'intention de clarifier le fait que s'il est très difficile de forcer les autres à poser tous les gestes espérés ou de les contraindre à concevoir le monde d'une manière donnée, on peut à tout le moins influencer leurs attitudes dans une large mesure en tenant pour acquis leur désir de voir leur identité confirmée par les comportements des autres et en considérant l'importance qu'ils attachent à l'émergence d'une version acceptable du réel issue de leur interaction.

Les personnages haut placés sont régulièrement perçus comme des gens très occupés. Étant donné qu'on considère qu'ils sont difficilement accessibles, ils peuvent se permettre de décliner une invitation ou un rendez-vous sans qu'on s'en surprenne ou qu'on se sente lésé. Du moins, cette version de la réalité rend compte du point de vue de la plupart des individus quand la situation décrite leur est présentée dans ce contexte particulier. Or rien n'oblige qu'il en soit ainsi. En vérité, une telle idée reçue repose surtout sur la crédulité des gens qui souscrivent à cette définition de la situation et qui, en conséquence, se réservent au mieux un rôle secondaire dans l'interaction en cause. D'un certain point de vue, ils se contraignent eux-mêmes en fondant leur action sur une version de la réalité qui les laisse pratiquement sans recours. Mais, comme l'a si habilement démontré Paul Watzlawick[24], la manière dont on pose un problème conditionne sérieuse-

---

24. Dans *Changements: paradoxes et psychothérapie*, Paris, Seuil, 1975.

ment la façon de le résoudre. Aussi importe-t-il de s'ouvrir à une version des faits qui inclue la perspective de l'autre, sans nier sa propre version, afin de parvenir à un élargissement de l'éventail des possibilités stratégiques. Une telle affirmation revient à suggérer que le fait de parvenir à décloisonner sa définition initiale du réel entraîne l'accroissement des possibilités stratégiques[25]. L'anecdote qui suit montre comment l'impossibilité de ne pas négocier peut servir des intentions stratégiques au premier abord utopiques quand on réussit à y associer une tactique de recadrage.

Un jour que notre département souhaitait embaucher une candidate et lui permettre de poursuivre des études de doctorat, notre unité se buta à un refus au plus haut niveau hiérarchique. La décision se fondait sur le faible pourcentage de succès associé dans le passé aux recrues présentant un profil semblable au sien. Déjà dans la quarantaine, notre candidate correspondait, aux dires des autorités, au profil idéal d'une chargée de travaux pratiques et il leur semblait donc inacceptable d'emprunter une avenue qui s'était révélée improductive. Nous devions reconnaître que les précédents ne jouaient pas en notre faveur, mais la candidate nous inspirait pleine confiance.

Dans de telles circonstances, il n'est pas dans les habitudes de notre institution de voir le directeur de département concerné entreprendre des démarches extraordinaires afin d'obtenir une modification de la décision prise. On considère plutôt que le vice-recteur aux ressources humaines agit de plein droit et il n'est pas question de remettre en cause son jugement même s'il nous paraît erroné, surtout quand l'offre d'un poste de chargé de travaux pratiques permet au candidat d'entreprendre en parallèle des études de doctorat, à ses frais. En quelque sorte, une telle offre protège l'institution et remet au candidat le fardeau de la preuve : faites vos études de doctorat et nous reconnaîtrons que nous avons eu tort ; votre département pourra par la suite vous offrir un tel emploi.

Laissant les prescriptions de la tradition derrière lui, notre directeur choisit de définir autrement la situation dans l'espoir de renverser cette décision. D'abord, s'il lui était interdit de contester celle-ci ouvertement, il lui restait la possibilité de solliciter une rencontre afin d'éclaircir les aspects sous lesquels la solution proposée par le vice-recteur était sage et prise dans l'intérêt du département. Aussi, prétextant l'importance de fournir une explication plus détaillée à son assemblée tout en manifestant son intention

---

25. En contrepartie, il nous arrive de souhaiter ne pas élargir l'éventail quand une situation bloquée nous convient...

d'agir dans le plus grand respect des attitudes adoptées en haut lieu, il demanda d'être reçu par le vice-recteur. Même si sa fonction n'autorise pas normalement une telle démarche, car il reviendrait au mieux au vice-doyen ou au doyen de poser ce geste, on lui accorda l'entrevue. Mais voilà, un pas important était franchi, car le fait de sanctionner sa venue signifiait de façon pragmatique qu'on l'autorisait à questionner les décideurs, ce qu'il ne manqua pas de faire. Et questionner devient très vite négocier, pour qui sait profiter des circonstances.

Le directeur se présenta à ce rendez-vous avec en tête l'idée d'obtenir une explication très détaillée d'un aspect de la question, à savoir pourquoi on lui refusait la possibilité d'accorder à la candidate le statut proposé, et cela dans l'espoir d'y découvrir matière à stratégie. Après un échange d'une trentaine de minutes, la lumière se fit. Aux yeux du vice-recteur, il importait de placer la candidate dans les meilleures conditions possibles en tenant compte de son plan de carrière. Le directeur accepta immédiatement cette version de la réalité pour demander ensuite en quoi l'avenue qu'il proposait se comparait désavantageusement à celle offerte. On lui expliqua en long et en large l'importance d'enlever la pression qui s'exercerait sur la candidate si le poste de professeure assistante lui était offert car elle serait alors contrainte d'obtenir un doctorat dans un délai de cinq années. Cette explication une fois fournie, le directeur avait en main tous les éléments nécessaires et il abattit son jeu, lentement, mais très clairement.

Son intervention se fit brève mais fondée sur une redéfinition[26] de la situation: pourquoi choisir à la place de la candidate le statut qui lui conviendrait le mieux? Ne valait-il pas mieux s'enquérir de ses préférences et lui laisser prendre ses propres décisions? En redéfinissant la situation dans cette perspective, il obtint qu'une seconde rencontre ait lieu, cette fois en compagnie de la candidate. Une fois de plus, il s'agissait d'un précédent.

Par la suite, les événements se bousculèrent. Confrontée au choix d'un statut, la candidate opta pour un poste de professeure assistante. Le vice-recteur se plia à son désir, sans manquer toutefois de lui faire remarquer qu'elle choisissait de la sorte de vivre sous pression pendant quelques années. Elle résista à ses efforts pour l'inciter à suivre la voie la plus «raisonnable» en se présentant comme une femme que le défi stimulait et qui souhaitait ardemment être soumise aux mêmes obligations que celles assumées par ses futurs collègues.

---

26. Il s'attarda à modifier le fond, le contexte, pour obtenir une redéfinition de la forme.

En revoyant le film des comportements qui furent adoptés durant ces démarches, il devient évident que le directeur négocia durant tout ce temps à partir d'une version de la réalité qui incluait celle de ses supérieurs, gagnant progressivement le droit à une explication, puis celui de mêler la candidate à la décision pour qu'il lui appartienne au bout de la ligne de trancher la question. Or la situation semblait, à l'origine, désespérée. Aussi est-il possible d'interpréter la progression des événements présentés dans cette anecdote comme la démonstration d'un principe énoncé plus tôt dans ce volume. Il ne faut jamais contester directement un point de vue si on veut l'influencer. Au contraire, l'acceptation d'une version de la réalité confirme l'identité de l'autre et contribue à l'instauration d'un contexte qui permet d'amorcer un renversement progressif des avis avancés sans que le partenaire se sente remis en question dans l'interaction. Il apparaît très clairement qu'une attaque directe portée contre le jugement du vice-recteur aurait provoqué une impasse. Et la connaissance de cette possibilité, en d'autres circonstances, aurait pu rendre impossible un autre dénouement du simple fait d'avoir contesté explicitement la décision initiale. De façon complémentaire, on peut ajouter que le directeur joua également sur la dimension prescriptive de la relation.

L'affirmation des autorités selon laquelle elles s'efforçaient d'offrir à la candidate ce qui lui convenait le mieux interdisait toute contestation de la décision car celle-ci se fondait sur l'hypothèse voulant que la recrue se prêtait volontiers à une dynamique où le vice-recteur choisissait son statut. Ainsi, dans ces échanges, le directeur était placé dans une interaction à trois, le vice-recteur jouant deux rôles distincts, le sien et celui de la candidate; il devait alors neutraliser cette stratégie. Le fait que le directeur obtint qu'on invite la candidate replaça l'interaction dans un contexte où chacun exécuta sa partition et modifia la position stratégique de celui-ci en redéfinissant la nature des relations entre les intéressés.

Toute communication est à la fois descriptive et prescriptive

Avant de revenir sur cet énoncé, il faut apporter certaines nuances afin de mettre en lumière la façon dont une écoute différente des événements permet au moins trois types particuliers de stratégies. Ainsi, non seulement la participation à la communication est à la fois prescriptive et descriptive, en ce sens qu'elle suggère une version du réel, une définition de l'identité des participants, et commande une réponse ajustée à ces descriptions, mais encore elle peut être performative dans le sens proposé par Felman[27]. Il faut entendre par l'expression «participation performative» ces circonstances particulières où le comportement est autant message que réalisation de l'énoncé, comme lorsque, au pied de l'autel, l'homme ou la femme s'engage dans le mariage: le fait de répondre «oui» est à la fois acceptation et action, le oui accomplissant le rituel. Ces trois dimensions de la participation à la communication suggèrent des avenues stratégiques qui peuvent être utilisées simultanément dans les tentatives d'influence. L'avenue la plus simple consiste à exercer une action uniquement sur l'aspect descriptif; elle est aussi la moins efficace car elle est trop répandue; pour cette raison, elle sera laissée de côté au profit des deux autres[28]. Considérons d'abord la nuance prescriptive des comportements dans l'interaction.

Watzlawick[29] signalait, dans sa discussion des messages analogiques et digitaux, que la communication, sous l'aspect «ordre», induit un comportement. Aussi convient-il d'ajouter à sa suite que tout comportement dicte des règles du jeu. À cet égard, lire les règles qui accompagnent les comportements d'autrui permet d'y réagir stratégiquement, de s'ajuster en fonction des intentions poursuivies. Pour arriver à ce type d'ajustement, il faut cependant que notre attention aille au-delà du contenu de l'échange.

Un jour que nous[30] étions convoqué par notre supérieur immédiat à propos d'une enquête en cours sur la qualité de vie au travail à la faculté des sciences de l'administration, nous constatâmes rapidement que cette rencontre était en quelque sorte un rituel, une demande de prise en charge du dossier. L'idée ne nous plaisait guère. La discussion durait depuis plus d'une heure déjà et notre interlocuteur traitait toujours la question mais en prenant soin, heureusement, de ne pas énoncer directement ses attentes. Habitué au personnage, nous étions sur la défensive jusqu'au moment où nous avons trouvé comment sortir de cette impasse. Comme notre interlocuteur attendait que nous offrions nos services et que, dans ce contexte, il parlait en tant que responsable du projet, sa prescription restait implicite. Il nous suffisait alors d'utiliser le rôle qu'il s'était donné pour renverser la situation.

Devant ses tentatives répétées, nous avons tout à coup pris le ton de la confidence pour lancer: «Si j'étais à votre place, mon cher, je me retirerais

---

27.   Voir *Le Scandale du corps parlant*, Paris, Seuil, 1980.

28.   Exercer une action sur l'aspect descriptif conduit la plupart du temps à la rhétorique: on néglige alors les autres langages et leur puissance.

29.   Voir *Une logique de la communication*, op. cit.

30.   L'un des auteurs.

au plus tôt de ce dossier. Vous n'avez ni le soutien des autorités, ni les moyens requis pour agir dans cette question explosive.» Surpris, il hocha la tête en signe d'acquiescement et s'aperçut trop tard de son geste. Le jeu bascula. Il renonça à nous contraindre car il était désormais inacceptable de confier un tel dossier à un subalterne alors qu'il venait d'admettre en sa présence l'impossibilité de mener cette opération à terme. Notons de plus que l'avertissement que nous avions lancé se trouvait à exprimer notre refus de nous engager. Ce dernier aspect nous conduit à la dimension performative que peut revêtir le comportement dans la communication.

L'accord pragmatique est intimement relié à la dimension performative de la communication. Dans l'anecdote rapportée ci-haut, notre supérieur posa par son comportement non verbal l'acte qui conduisit à ce type d'accord. Le simple fait de manifester son accord avec le conseil donné quant à la prudence à observer dans ce dossier ne constitue toutefois pas l'essentiel de l'aspect performatif. Pour saisir la nuance, nous avons dû ajouter ce qui ne s'est pas dit durant ces échanges mais fut énoncé dans un autre langage. Certains pourraient prétendre que notre supérieur n'avait pas l'intention de céder ce dossier et que notre victoire n'en était pas une. Or il n'en est rien. Quelles que soient les intentions derrière la discussion, le fait pour notre supérieur de renoncer à nous convaincre de nous engager constituait un abandon, une acceptation pragmatique de notre retrait. Cette dimension performative de la communication, présente lorsque le supérieur immédiat cessa ses tentatives, concrétisa l'accord pragmatique survenu, et le temps consacré par notre interlocuteur pour nous amener à nous engager révèle qu'il souhaitait nous mandater, laisser le dossier ouvert. Il ne renonça qu'après avoir accusé le coup. Agir dans les dimensions prescriptive et performative de la communication permet donc d'influencer la nature des accords pragmatiques qui émergent comme des conséquences de la réalité négociée entre les parties et, conséquemment, de modifier la définition de leur identité dans l'interaction.

Il n'existe pas de communication sans sujet

La négociation collective est un secteur d'activité où il devient vite évident qu'il n'existe pas de communication sans sujet. Les rituels qui y apparaissent en sont la preuve et ils renseignent surtout sur l'utilisation la plus élémentaire qu'on peut faire de cette particularité de la communication dans l'espoir d'influencer le comportement d'autrui. Par exemple, il n'est pas rare de découvrir que s'expriment très explicitement des éléments de négociation sous des formes telles que la suivante: «nous accepterons de discuter de la refonte proposée quant à la structure de l'échelle de rémunération si vous acceptez en contrepartie de réviser la règle selon laquelle la promotion doit être fondée sur l'ancienneté». Ce type d'énoncé suppose alors que deux sujets de discussion n'en font qu'un. Et l'on passe ici sous silence le fait que de telles nuances génèrent des effets qui importent aux deux parties engagées dans le processus[31]. Il est intéressant de noter que la stratégie avancée par l'instigateur de cette proposition s'appuie sur la négociation des sujets discutés et surtout sur leur étendue et les relations qui les unissent. Mais il est d'autres possibilités à exploiter, en particulier l'utilisation des sujets de discussion dans le but de situer une relation dans un contexte spécifique; la stratégie s'applique à différents domaines, y compris celui de l'administration. L'anecdote qui suit illustre ce fait.

Les relations d'une unité administrative avec la direction de l'entreprise demeuraient tendues en raison d'un problème qui subsistait depuis plus de 10 années au moment où l'on nomma un nouveau directeur d'unité. Pour résumer le dossier litigieux, un des employés avait été victime d'un grave accident de voiture et ses capacités s'en étaient trouvées diminuées au point qu'il était incapable d'assumer ses fonctions à la satisfaction de l'institution. Pourtant, en dépit des efforts consentis par les directeurs précédents, aucune entente n'avait été possible et l'individu était resté à son poste. Devant cette situation, la direction insistait: il faut trouver un arrangement de fin d'emploi acceptable. Le directeur entreprit donc des discussions avec le principal intéressé, pour en arriver à une proposition concrète satisfaisant les parties. Fort de ce résultat, qui devait, selon lui, permettre de redresser la situation en ce qui touchait les relations de son unité avec les autorités, il décida d'associer ce dossier à un autre dans ses discussions avec les responsables en place, de relier deux sujets de négociation.

Depuis quelques mois, des discussions étaient en cours, car l'unité souhaitait embaucher un professionnel n'ayant pas la formation académique traditionnellement exigée pour le poste visé, mais la réaction de la haute direction laissait peu d'espoir de règlement. Aussi, le directeur choisit d'utiliser les succès obtenus dans le premier dossier pour faire valoir le second. Il s'agissait pour lui de tirer profit de la satisfaction entraînée par le dénouement d'un problème qui avait duré plus de 10 ans de façon à situer sa

---

31.   Pour une discussion plus approfondie de cette question, voir Dionne, P. et Ouellet, G., «Théories paradoxalistes et négociation collective: les rituels de la communication à la lumière de l'axiomatique de Watzlawick», *Systèmes humains*, vol. 2, n° 2, 1986, pp. 31-43.

seconde demande dans un contexte favorable. Les discussions suivirent le cheminement escompté et la réaction de ses supérieurs fut très positive. La stratégie de communication qui consistait à relier deux dossiers distincts dans l'espoir que le second profiterait des retombées du premier avait porté fruit. Pour parvenir à ce dénouement, il avait suffi de faire reconnaître que le règlement intervenu valait bien qu'on manifeste un peu de souplesse.

Cette anecdote illustre le fait que la présence de plus d'un sujet de discussion peut déboucher sur des stratégies qui dépassent rapidement le premier niveau où se place habituellement l'observateur, soit celui de négocier un sujet ou son étendue. En fait, on peut en déduire que si l'opposant accorde de l'importance à un sujet donné, rien n'oblige l'autre à souscrire à cela. Il peut troquer son acceptation de donner suite aux attentes exprimées contre des «considérations futures». En Amérique du Nord, même dans le populaire domaine du hockey, l'expression «considérations futures» est devenue courante. Il n'est pas rare qu'une équipe échange un athlète contre un choix au repêchage que lui accordera l'autre équipe. Ces tactiques, plus répandues qu'il ne le semble à première vue, vont dans le sens de la proposition voulant que la communication soit une toile de fond permettant d'expliquer de quelle façon se nouent les interactions humaines dans les domaines les plus divers.

Sur tout sujet de communication, les parties ont un avis ou en développent un

Ce phénomène est d'une certaine façon apparenté à l'idée que même l'indifférence devient une prise de position politique, eu égard à un événement donné. Il couvre toute une gamme de comportements dont il serait difficile de faire état en quelques pages. Aussi, deux situations très différentes serviront à mettre en évidence la façon dont les avis que chacun développe sur ce qui survient peuvent déboucher sur diverses stratégies de la part des intéressés. Pour aller du général au particulier, il sera d'abord question des relations parents-enfant et par la suite du vécu organisationnel. L'objectif poursuivi est de fournir des illustrations qui font intervenir des contextes distincts, la première insistant sur les aspects non verbaux ou plus analogiques et la seconde concernant le langage parlé, dont on doit dénoncer encore une fois l'importance trop grande qu'on lui accorde.

Une bambine d'un an manifeste un intérêt incontrôlable pour les boutons de commande du lave-vaisselle familial. Si bien que dès l'instant où l'appareil est mis en marche, elle fonce dans sa direction pour perturber joyeusement les opérations en jouant du clavier, au grand dam de son père. Jusque-là, il avait été impossible d'éviter la crise de larmes quand, excédé, le père refoulait l'enfant au salon après plusieurs «non!» bien sentis et diverses remontrances.

Devant la répétition de ce rituel, le père imagina un stratagème. Pour contrer sa fille, dont l'avis était que le lave-vaisselle est un jouet captivant, il prit un ballon et mit ensuite l'appareil en marche. À cet instant, l'enfant quitta le salon pour se diriger en trombe vers cet objet de plaisir qui lui permettait, entre autres, d'obtenir toute l'attention dès qu'elle s'en approchait. Venant à la rencontre de l'enfant, le père fit alors rouler le ballon en sa direction. Hésitante, l'enfant regarda son père, se balança, s'avança vers le lave-vaisselle, mais plus lentement. Répétition du jeu du ballon : la bambine fit volte-face et saisit le ballon, puis le poussa vers son père, qui répondit en s'installant entre elle et le lave-vaisselle pour répéter le manège. Le jeu dura quelques minutes, puis, lassée, la fillette retourna paisiblement au salon, abandonnant la partie, sans verser de larmes. Ainsi se termina cette négociation où, sans mot dire, le père échangea son attention contre une retraite volontaire au salon. Sans s'opposer directement à la bambine, il avait offert d'échanger le jeu du lave-vaisselle contre une autre activité, ouvrant de la sorte la voie à un choix possible. À sa grande satisfaction, sa fille avait choisi l'option espérée. Il avait suffi au père d'utiliser son corps comme écran afin d'affirmer son opposition à une autre option ou à une modification qui aurait pu survenir au cours de l'interaction. Dans l'entreprise, le jeu se joue à un tout autre niveau mais rappelle tout de même l'aspect circulaire de l'interaction.

Tout véritable changement de culture organisationnelle est difficile à ancrer dans les mœurs, et le plus souvent les modifications introduites par un directeur sont vite choses du passé quand celui-ci est remplacé. Confronté à de tels effets possibles, un directeur imagina un stratagème visant à contrer son successeur. Il s'agissait de rendre son unité responsable en des termes explicites de sorte que tout retour en arrière soit mal accueilli. Dans cette entreprise, le recrutement d'administrateurs suppléants avait traditionnellement été laissé à la discrétion du directeur d'unité qui utilisait ce recours afin de répondre à certains besoins au moment de la planification des charges de travail. Cette pratique avait à l'occasion donné pour résultat un certain favoritisme et le directeur souhaitait empêcher la répétition de ce phénomène. Conscient du souci de l'assemblée de protéger son droit de regard sur l'embauche du personnel régulier, le directeur souleva la question du recrutement des suppléants immédiatement après avoir étudié en assemblée une recommandation visant à embaucher un cadre régulier. À certains égards, la stratégie était élémentaire : il suffisait d'attirer l'attention des membres sur la liberté totale du directeur en cette matière, pour ensuite leur demander s'il était souhaitable de garder intacte cette procédure.

Comme les esprits déjà échauffés par les discussions précédentes, l'assemblée manifesta très majoritairement le désir d'être consultée quand viendrait le temps d'offrir un contrat de suppléant à quiconque ; on suggéra même de faire circuler le curriculum vitæ du candidat quelques jours avant la réunion. Le directeur profita de cette réaction spontanée pour rédiger une politique formalisant cette démarche ; il s'assura ainsi que ses successeurs se soumettraient au rituel. En reliant le contexte des discussions précédentes aux propos spontanés qu'elles avaient suggérés, il était parvenu à ritualiser un changement d'attitude qui ferait désormais partie des obligations dictées par l'assemblée délibérante, et cela en utilisant les avis de ses collègues au moment où ils émergeaient de l'interaction.

Tout avis est une recherche d'influence sur un réel en construction et sur la relation en cours

Dans le feu de l'interaction, il vient peu souvent à l'esprit des participants que tout énoncé, que tout comportement, équivaut à revendiquer la présence d'éléments particuliers comme faisant partie du réel en voie d'émergence ou encore constitue une pression exercée sur la relation en vue de lui donner une coloration particulière. Ainsi, en appeler à la morale ou au code de déontologie d'une profession peut être assimilé à prescrire le respect de règles gouvernant une interaction donnée, à proposer des caractéristiques souhaitables du réel en définition. L'un des étudiants dont nous avons corrigé la thèse fut à son insu engagé dans une telle dynamique, dont nous vous présentons ici l'essentiel.

Michel[32] travaillait à la réalisation de la partie expérimentale de sa thèse de maîtrise ; dans ce contexte, il devait présenter son expérimentation aux gens faisant partie de son échantillon tout en respectant une démarche qui assurait l'uniformité des directives communiquées à chacun. Or, l'intérêt de cette anecdote vient du fait qu'une portion importante de sa population était constituée d'experts en relations industrielles ; l'autre portion était

---

32. Prénom fictif.

Conclusion

À la suite de ce pèlerinage où nous avons exposé la manière dont la communication devient un modèle permettant d'expliquer plusieurs aspects des événements et où nous avons même suggéré indirectement qu'elle jette un pont entre différentes sciences humaines[1], nous nous trouvons à la croisée des chemins. Le relativisme introduit par nos illustrations et l'interdépendance des mythes signalés tout au long de cet ouvrage nous dictent la modestie.

Considérant les limites de notre contribution et reconnaissant que tout énoncé s'accompagne d'une prescription, nous sommes maintenant dans l'obligation de présenter explicitement et sans artifices les dimensions cachées par nos métaphores. Dans cette optique, nous mettrons à nu des énoncés que nous traiterons comme des avenues conduisant à des options stratégiques dont nous ne ferons pas la critique, mais que nous savons surtout dominées par l'absence de tout effet magique de la communication. Si cette capacité peut parfois entraîner des succès surprenants, il importera de garder en mémoire la nuance précédente quand nos énoncés paraîtront trop convaincants ou discutables. Aussi, en guise de mise en contexte, nous souhaitons revenir une dernière fois sur l'importance de la métaphore de l'orchestre.

Se libérer des mythes de la communication suppose un renoncement. Il faut en effet admettre au départ que la réalité est une symphonie toujours inachevée, pour reprendre la métaphore de l'orchestre, ou, si l'on préfère, qu'elle est à tout le moins le théâtre d'une création collective, voire intersubjective. De la famille à l'organisation, en passant par toutes les nuances des relations interpersonnelles, l'être humain façonne la réalité au rythme de la succession des croyances dominantes. Peut-être ce volume en est-il

1. Nous devons cette hypothèse à Bateson, G. et Ruesch, J. Voir *Communication et Société*, Paris, Seuil, 1988.

l'une des illustrations les plus révélatrices; les critiques porteront sûrement un jugement sur ce point. Mais, pour l'instant, nous reconnaissons qu'une vision volontariste de l'humain teinte toutes nos propositions. Nous vous les présentons ci-bas, sans leur adjoindre les arguments qui accompagnèrent leur introduction et en considérant que la liste aurait pu s'allonger encore, bien qu'elle soit déjà relativement longue.

Énoncés à propos de la communication

1. La communication peut être imposée.

2. La communication met en jeu de multiples langages.

3. La communication comporte toujours une part d'implicite.

4. La communication prend des significations différentes selon les contextes d'interprétation.

5. La communication suppose une relation, une interaction.

6. La communication ne suppose pas d'alternance circulaire du rôle d'émetteur et de celui de récepteur.

7. La communication ne suppose pas que la compréhension dépend de la quantité d'informations fournie.

8. La communication intervient entre des individus qui n'ont pas au départ des bases communes, qui ne possèdent pas la même information.

9. La communication n'est jamais objective.

10. La communication médiatise la construction de la réalité sociale.

11. La communication est une situation d'influence, une occasion de négociation interpersonnelle.

12. La communication met en présence différents niveaux de messages et se prête ainsi à plusieurs modes de lecture.

13. La communication manifeste des réalités auxquelles les individus associent des conséquences.

14. La communication repose sur un découpage subjectif des événements.

15. La communication n'a ni commencement, ni fin.

16. La communication contribue à la définition de l'identité des participants.

17. La communication s'accompagne toujours d'accords pragmatiques.

18. La communication porte toujours sur au moins un sujet précis.

19. La communication s'accompagne toujours de la promotion d'avis que les participants présentent à propos du sujet en jeu.

20. La communication rend toujours de l'information disponible, même quand un participant manifeste l'intention de ne pas s'engager.

21. La communication est toujours à la fois descriptive et prescriptive; de plus, elle est parfois performative.

22. La communication a des effets qui dépassent le strict moment de l'interaction.

23. La communication ne suppose pas nécessairement l'utilisation consciente de l'information en jeu pour que des effets précis surviennent.

La contrepartie stratégique associée à ces énoncés consiste à mettre les aspects évoqués au service des intentions poursuivies en se rappelant une remarque fort pertinente de Paul Watzlawick que nous reformulons dans les termes suivants: l'avantage qu'on trouve à connaître une théorie réside dans la possibilité qu'on y découvre de s'en affranchir. Voilà, d'une certaine façon, une affirmation selon laquelle la conscience des paramètres de la communication donne une longueur d'avance à la personne qui les utilise. Et il n'est pas à craindre que la conscience de ces aspects soit une chose fort répandue, pour l'instant du moins.

Nous nous permettons d'insister sur ce point: la conscience limitée qu'ont la plupart des gens des mythes de la communication et de leurs effets concourt à donner de la puissance aux énoncés stratégiques qui ont été présentés. Si, à la manière de Fisch[2], nous devons proposer une carte conceptuelle, nous croyons offrir de plus un outil qui permet de comprendre et de traiter différents aspects de la communication. Entre autres, cette carte nous informe sur la manière de trouver notre chemin, sur le choix des stratagèmes qui protégeront notre marge de manœuvre dans nos efforts d'adaptation.

Même soumise à la succession de nos mythes et à la fragilité de nos croyances, cette carte demeure intéressante. Comme le signale Winkin, «chaque membre d'une culture semble apprendre non seulement les comportements programmés mais les idées relatives à ces comportements[3]». Aussi,

---

2. Fisch, R. et al., *Tactiques du changement, Thérapie et Temps court*, Paris, Seuil, 1986.

3. Winkin, Y., *La Nouvelle Communication*, Paris, Seuil, 1981, p. 151.

l'utilisation stratégique des mythes dont nous avons fait état puise son intérêt dans le fait qu'elle nous permet de nous dégager d'un réel que d'autres cherchent parfois à nous imposer inconsciemment.

Dans cette perspective, où l'on peut désirer se dégager d'une définition de la réalité ou de notre identité, pour exercer une action sur les autres ou limiter leur capacité de nous contraindre, nous insistons sur l'importance de mettre en contexte nos comportements tout en surveillant comment les personnes qui nous entourent situent le leur. À ce propos, la portée pragmatique de la communication, en raison du type d'accord qui l'accompagne, devient le pivot de toute stratégie. Quitte à perdre certains combats, mieux vaut refuser tout transfert de responsabilité de notre condition à un quelconque déterminisme, si réel qu'il puisse nous paraître. Cette attitude demande que nous nous soucions de mettre en scène nos interactions, que nous acceptions la lutte de l'instrument contre l'orchestre. Machiavel aurait certainement détruit notre manuscrit après l'avoir consulté, du moins permettons-nous d'y croire.

Bibliographie

ANDERSON, J.A.
   (1987)   *Communication Research, Issues and Methods*, New York, McGraw-Hill,
            Series in Mass Communication.

ARCHIER, G. et SÉRIEYX, H.
   (1988)   *Pilotes du troisième type*, Paris, Seuil.

ARCHIER, G. et SÉRIEYX, H.
   (1984)   *L'Entreprise du troisième type*, Paris, Seuil.

AUTREMENT
   (1987)   n° 86, janvier.

BANDLER, R. et GRINDER, J.
   (1981)   *Les Secrets de la communication*, Montréal, Le Jour éditeur, Actualisation.

BANDLER, R. et GRINDER, J.
   (1976)   *The Structure of Magic II*, Californie, Science and Behavior Books Inc.

BANDLER, R. et GRINDER, J.
   (1975)   *The Structure of Magic I*, Californie, Science and Behavior Books Inc.

BATESON, G.
   (1984)   *La Nature et la Pensée*, Paris, Seuil.

BATESON, G.
   (1977)   *Vers une écologie de l'esprit*, tome I, Paris, Seuil.

BATESON, G. et RUESCH, J.
   (1988)   *Communication et Société*, Paris, Seuil.

BERGER, P.L. et LUCKMANN, T.
   (1967)   *The Social Construction of Reality*, New York, Anchor Books.

BOIVIN, J. et GUILBAULT, J.
   (1982)   *Les Relations patronales-syndicales au Québec*, Québec, Gaëtan Morin
            Éditeur.

BONNANGE, C. et THOMAS, C.
   (1987)   *Dom Juan ou Pavlov, essai sur la communication publicitaire*, Paris, Seuil.

BURRELL, G. et MORGAN, G.

(1979) *Sociological Paradigms and Organizational Analysis*, Londres, Heinemann.

DIONNE, P. et OUELLET, G.

(1986) «Théories paradoxalistes et négociation collective : les rituels de la communication à la lumière de l'axiomatique de Watzlawick», *Systèmes humains*, vol. 2, n° 2.

DIONNE, P. et OUELLET, G.

(1981) *La Gestion des équipes de travail*, Québec, Gaëtan Morin Éditeur.

DIONNE, P., OUELLET, G. et FORTIER, M.

(à paraître)«L'équipe de projet», dans *La Gestion de projet : concepts et pratiques*, Montréal, P.U.Q.

EDMOND, M. et PICARD, D.

(1984) *L'École de Palo Alto*, Paris, Retz.

FELMAN, S.

(1980) *Le Scandale du corps parlant*, Paris, Seuil.

FISCH, R., WEAKLAND, J. et SEGAL, L.

(1986) *Tactiques du changement, Thérapie et Temps court*, Paris, Seuil.

FOUREZ, G.

(1974) *La Science partisane*, Gembloux, Duculot.

GOFFMAN, E.

(1973) *La Mise en scène de la vie quotidienne*, Paris, Minuit.

HALL, E.T.

(1984) *La Danse de la vie*, Paris, Seuil.

HALL, E.T.

(1983) *Le Langage silencieux*, Paris, Seuil.

HALL, E.T.

(1979) *Au-delà de la culture*, Paris, Seuil.

HALL, E.T.

(1971) *La Dimension cachée*, Paris, Seuil.

KOESTLER, A.

(1968) *Le Cheval dans la locomotive, le Paradoxe humain*, Paris, Calmann-Lévy.

LAING, R.D.

(1970) *Le Moi divisé, De la santé mentale à la folie*, Paris, Stock.

LAING, R.D.

(1969) *La Politique de l'expérience*, Paris, Stock.

LAYOLE, G.

(1984) *Dénouer les conflits professionnels, l'intervention paradoxale*, Paris, Éditions d'Organisation.

ORGOGOZO, I.

(1988) *Les Paradoxes de la communication*, Paris, Éditions d'Organisation.

ORGOGOZO, I.
(1987)   *Les Paradoxes de la qualité*, Paris, Éditions d'Organisation.

ORGOGOZO, I. et SÉRIEYX, H.
(1989)   *Changer le changement, on peut abolir les bureaucraties*, Paris, Seuil.

SÉRIEYX, H.
(1982)   *Mobiliser l'intelligence de l'entreprise*, Paris, Entreprise moderne d'édition.

SFEZ, L.
(1988)   *Critique de la communication*, Paris, Seuil.

WATZLAWICK, P.
(1988)   *Comment réussir à échouer, trouver l'ultrasolution*, Paris, Seuil.

WATZLAWICK, P.
(1987)   *Guide non conformiste pour l'usage de l'Amérique*, Paris, Seuil.

WATZLAWICK, P.
(1984)   *Faites vous-même votre malheur*, Paris, Seuil.

WATZLAWICK, P.
(1980)   *Le Langage du changement*, Paris, Seuil.

WATZLAWICK, P.
(1978)   *La Réalité de la réalité, confusion, désinformation, communication*, Paris, Seuil.

WATZLAWICK, P. et WEAKLAND, J. (textes réunis par)
(1981)   *Sur l'interaction*, Paris, Seuil.

WATZLAWICK, P., WEAKLAND, J. et FISCH, R.
(1975)   *Changements: paradoxes et psychothérapie*, Paris, Seuil.

WATZLAWICK, P., HELMICK BEAVIN, J. et JACKSON, D.D.
(1972)   *Une logique de la communication*, Paris, Seuil.

WINKIN, Y. (sous la direction de)
(1988)   *Bateson: premier état d'un héritage*, Paris, Seuil.

WINKIN, Y. (textes recueillis et présentés par)
(1988)   *Erving Goffman, les moments et leurs hommes*, Paris, Seuil/Minuit.

WINKIN, Y.
(1981)   *La Nouvelle Communication*, Paris, Seuil.

WINKIN, Y. et DUBOIS, P.
(1982)   *Langage et Ex-communication, Pragmatique et Discours sociaux*, Louvain-la-Neuve, Cabay.

Index des auteurs

Index des sujets